5학년 1학기 · 2학기

HIGHTOP

하이탑 초등 과학

5학년

HIGHTOP 초등 과학의 구성과 특징

심화 → 1 창의 서술형 문제

초등의 중요 개념부터 중등의 연계 개념까지 확장된 창의적인 서술형 문제입니다.
수행평가는 물론 영재고 · 영재원 선발 시험까지 대비할 수 있도록 실력을 쌓을 수 있습니다.

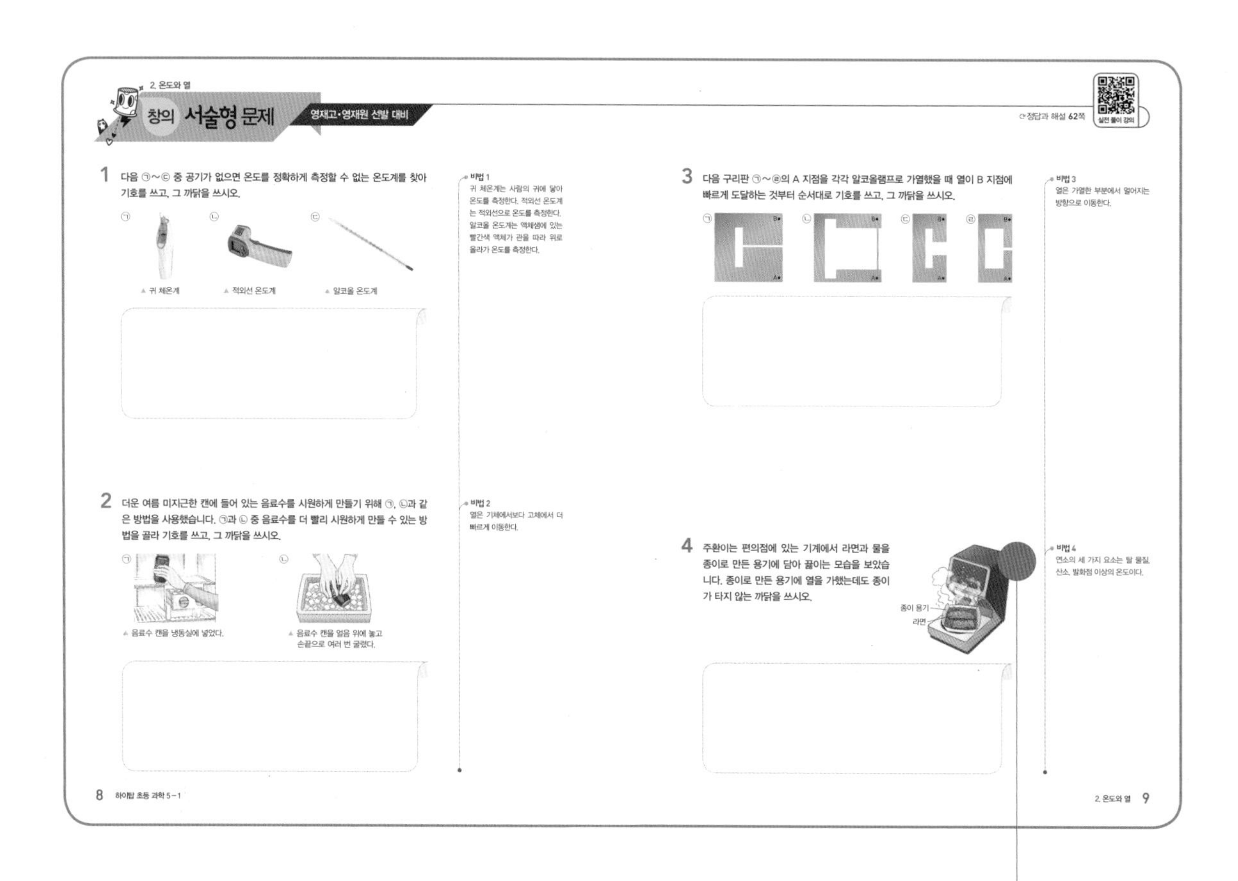

비법
서술형 문제가 어렵게 느껴지나요? 비법을 읽어 보면 문제의 핵심 TIP을 얻을 수 있어요.

> 과학 고수가 되는 길!
> 초등부터 HIGHTOP(하이탑)과 함께라면
> 과학 공부 어렵지 않아요.

2 과학 탐구 대회

과학 탐구 대회는 탐구 보고서 작성, 과학 토론 대회, 발명품 경진 대회, 영재 학교 대비 에세이(ESSAY) 작성의 네 가지 유형을 준비와 실전 단계로 구성하였습니다. 교과서 단원에 맞는 창의적인 주제와 참고 자료, 예시 답안을 보면서 각각의 대회 및 입시를 대비할 수 있습니다.

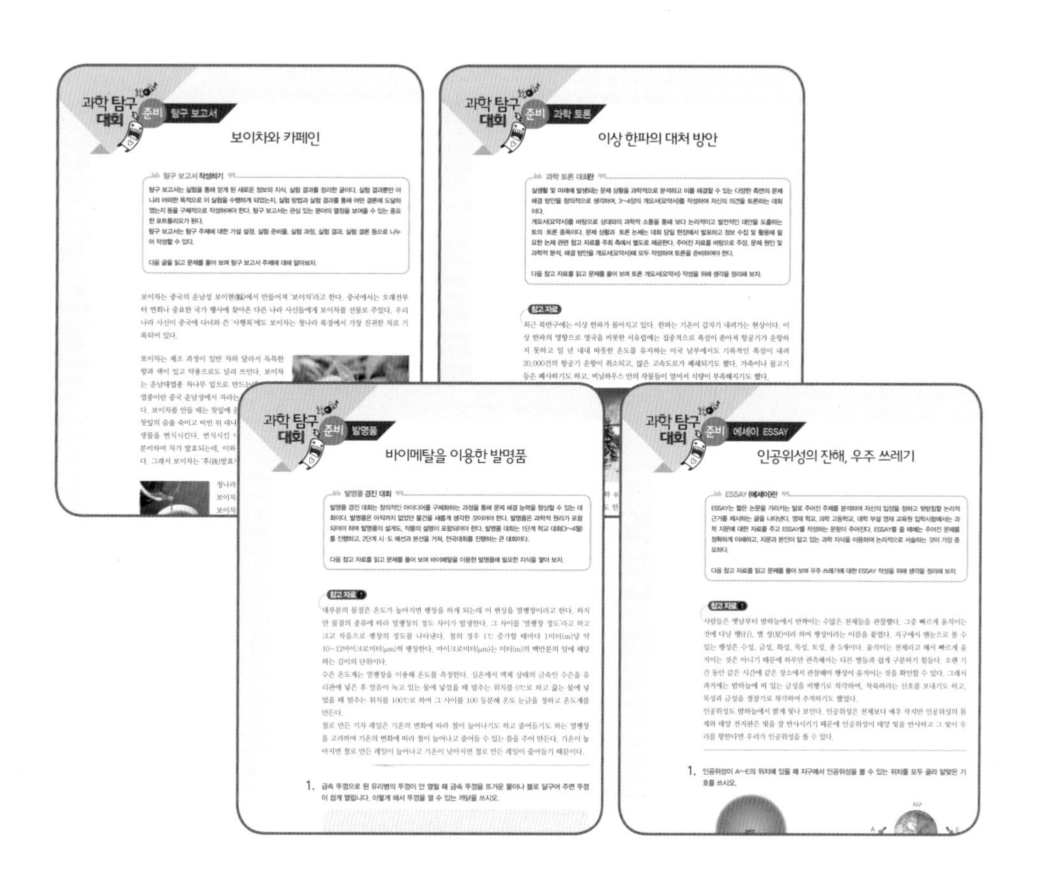

탐구 보고서 실험을 통해 얻은 정보와 지식, 실험 결과를 보고서로 정리합니다.

과학 토론 문제 상황을 과학적으로 분석하고 다양한 해결 방안을 창의적으로 생각합니다.

발명품 창의적인 아이디어를 구체화하는 과정을 통해 문제 해결 능력을 향상시킵니다.

에세이(ESSAY) 주어진 주제를 분석하고, 자신의 생각과 논리적 근거를 제시합니다.

HIGHTOP

초등 과학의 차례 심화

1학기

2학기

1 학기

2 온도와 열

• 창의 서술형 문제

• 과학 탐구 대회

발명품 바이메탈을 이용한 발명품

탐구 보고서 | 발명품 | 과학 토론 | 에세이 ESSAY

창의 서술형 문제

영재고·영재원 선발 대비

1 다음 ㉠~㉢ 중 공기가 없으면 온도를 정확하게 측정할 수 없는 온도계를 찾아 기호를 쓰고, 그 까닭을 쓰시오.

▲ 귀 체온계 ▲ 적외선 온도계 ▲ 알코올 온도계

비법 1
귀 체온계는 사람의 귀에 닿아 온도를 측정한다. 적외선 온도계는 적외선으로 온도를 측정한다. 알코올 온도계는 액체샘에 있는 빨간색 액체가 관을 따라 위로 올라가 온도를 측정한다.

2 더운 여름 미지근한 캔에 들어 있는 음료수를 시원하게 만들기 위해 ㉠, ㉡과 같은 방법을 사용했습니다. ㉠과 ㉡ 중 음료수를 더 빨리 시원하게 만들 수 있는 방법을 골라 기호를 쓰고, 그 까닭을 쓰시오.

㉠

▲ 음료수 캔을 냉동실에 넣었다.

㉡
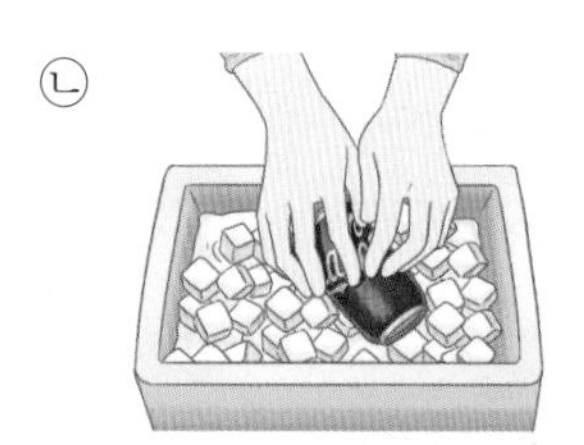
▲ 음료수 캔을 얼음 위에 놓고 손끝으로 여러 번 굴렸다.

비법 2
열은 기체에서보다 고체에서 더 빠르게 이동한다.

정답과 해설 62쪽

3 다음 구리판 ㉠~㉣의 A 지점을 각각 알코올램프로 가열했을 때 열이 B 지점에 빠르게 도달하는 것부터 순서대로 기호를 쓰고, 그 까닭을 쓰시오.

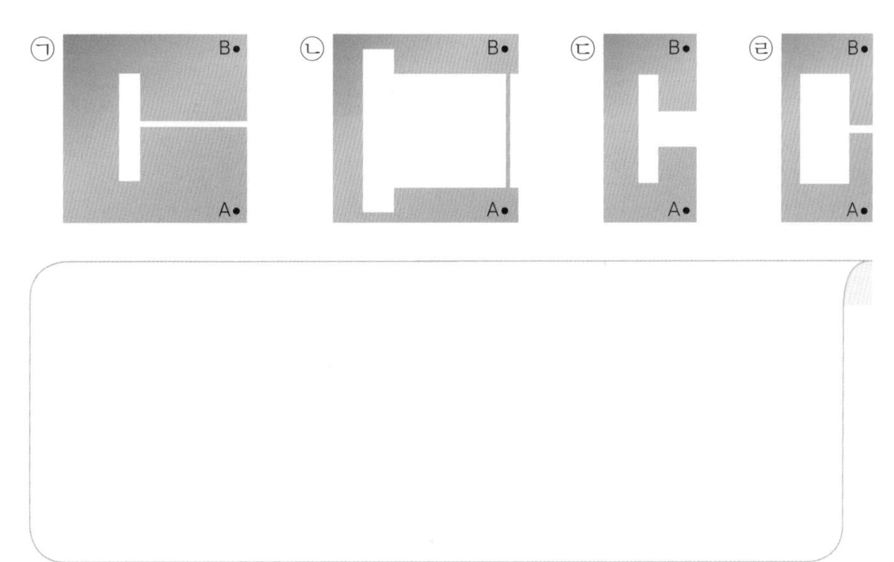

비법 3
열은 가열한 부분에서 멀어지는 방향으로 이동한다.

4 주환이는 편의점에 있는 기계에서 라면과 물을 종이로 만든 용기에 담아 끓이는 모습을 보았습니다. 종이로 만든 용기에 열을 가했는데도 종이가 타지 않는 까닭을 쓰시오.

비법 4
연소의 세 가지 요소는 탈 물질, 산소, 발화점 이상의 온도이다.

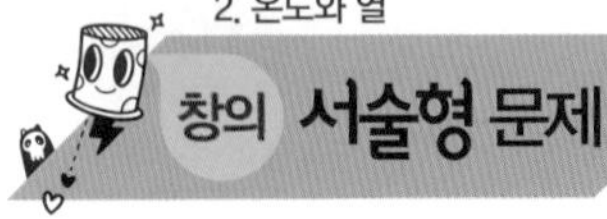

창의 서술형 문제 영재고·영재원 선발 대비

5 찜질방에서 온도가 높은 방에 들어갈 때 장신구를 착용하면 화상을 입을 수 있습니다. 사람이 들어가서 오랜 시간 있어도 화상을 입지 않는 온도인데, 장신구를 착용하면 화상을 입게 되는 까닭을 쓰시오.

비법 5
- 열은 물질의 상태에 따라 이동하는 빠르기가 다르다.
- 열이 이동하는 빠르기는 고체에서 가장 빠르다.

6 우리나라 속담 중에 '언 발에 오줌 누기'란 말이 있습니다. 이 속담은 추운 곳에서 발이 얼었을 때 따뜻하게 하기 위해 발에 오줌을 누면 그 순간에는 발이 일시적으로 따뜻해지지만 오줌 때문에 발이 더 빨리 얼어 오줌을 누기 전보다 훨씬 더 추워진다는 이야기를 담고 있습니다. 이 속담처럼 언 발에 오줌을 누면 발이 더 추워지는 까닭을 쓰시오.

비법 6
오줌을 누지 않은 상태에서는 발이 기체인 공기와 접촉하고 있지만, 오줌을 누면 발이 액체인 오줌과 접촉하게 된다.

정답과 해설 62쪽

7 옛날에는 얼음을 저장하는 석빙고가 있었습니다. 겨울철에 강이 얼면 얼음을 잘라 석빙고로 운반하여 층층이 쌓고 볏짚과 쌀겨 등을 덮어 보관하였다가 여름에 사용했습니다. 석빙고에서 볏짚과 쌀겨 등을 얼음에 덮어 놓는 까닭을 쓰시오.

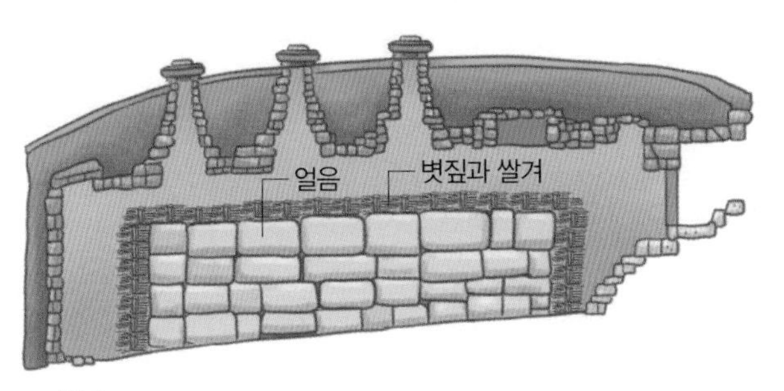

▲ 석빙고

비법 7
단열은 열을 차단하는 것이다.

8 다음 ㉠~㉢과 같이 각각 다른 물질로 만들어진 컵에 얼음을 넣었을 때 얼음이 가장 빨리 녹는 컵의 기호를 쓰고, 그 까닭을 쓰시오.

㉠

▲ 종이컵

㉡

▲ 플라스틱 컵

㉢

▲ 알루미늄 컵

비법 8
물질마다 열을 전달하는 속력이 다르다.

바이메탈을 이용한 발명품

발명품 경진 대회

발명품 경진 대회는 창의적인 아이디어를 구체화하는 과정을 통해 문제 해결 능력을 향상할 수 있는 대회이다. 발명품은 아직까지 없었던 물건을 새롭게 생각한 것이어야 한다. 발명품은 과학적 원리가 포함되어야 하며 발명품의 설계도, 작품의 설명이 포함되어야 한다. 발명품 대회는 1단계 학교 대회(3~4월)를 진행하고, 2단계 시·도 예선과 본선을 거쳐, 전국대회를 진행하는 큰 대회이다.

다음 참고 자료를 읽고 문제를 풀어 보며 바이메탈을 이용한 발명품에 필요한 지식을 쌓아 보자.

참고 자료 1

대부분의 물질은 온도가 높아지면 팽창을 하게 되는데 이 현상을 열팽창이라고 한다. 하지만 물질의 종류에 따라 열팽창의 정도 차이가 발생한다. 그 차이를 '열팽창 정도'라고 하고 크고 작음으로 팽창의 정도를 나타낸다. 철의 경우 1℃ 증가할 때마다 1미터(m)당 약 10~12마이크로미터(μm)씩 팽창한다. 마이크로미터(μm)는 미터(m)의 백만분의 일에 해당하는 길이의 단위이다.
수은 온도계는 열팽창을 이용해 온도를 측정한다. 실온에서 액체 상태의 금속인 수은을 유리관에 넣은 후 얼음이 녹고 있는 물에 넣었을 때 멈추는 위치를 0℃로 하고 끓는 물에 넣었을 때 멈추는 위치를 100℃로 하여 그 사이를 100 등분해 온도 눈금을 정하고 온도계를 만든다.
철로 만든 기차 레일은 기온의 변화에 따라 철이 늘어나기도 하고 줄어들기도 하는 열팽창을 고려하여 기온의 변화에 따라 철이 늘어나고 줄어들 수 있는 틈을 주어 만든다. 기온이 높아지면 철로 만든 레일이 늘어나고 기온이 낮아지면 철로 만든 레일이 줄어들기 때문이다.

1. 금속 뚜껑으로 된 유리병의 뚜껑이 안 열릴 때 금속 뚜껑을 뜨거운 물이나 불로 달구어 주면 뚜껑이 쉽게 열립니다. 이렇게 해서 뚜껑을 열 수 있는 까닭을 쓰시오.

정답과 해설 63쪽

참고 자료 2

바이메탈은 열팽창 정도가 다른 두 종류의 금속판을 붙여 만든 막대 형태의 부품이다. 바이메탈을 이루는 두 금속은 열팽창 정도가 달라서 바이메탈이 열을 받아 온도가 높아지면 열팽창 정도가 작은 금속 쪽으로 휘어지고, 반대로 열을 잃어 온도가 낮아지면 열팽창 정도가 큰 금속 쪽으로 휘어진다.

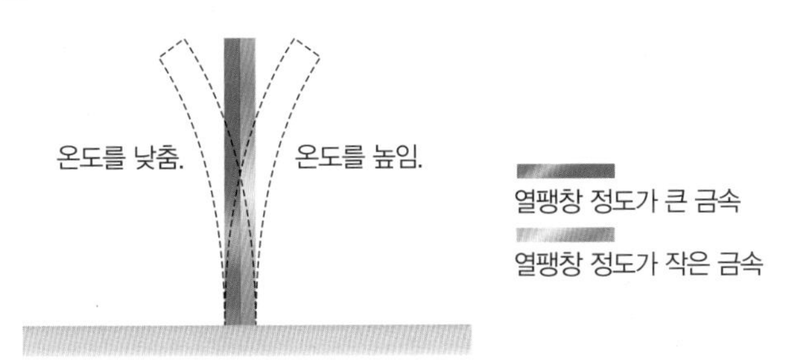

▲ 온도에 따른 바이메탈의 휘어짐

바이메탈을 이용하여 온도 조절 장치를 만든다. 바이메탈을 이용한 온도 조절 장치는 일정 온도를 기준으로 스위치를 켜고, 끄는 역할을 하여 일정 온도가 유지되도록 하는 장치이다. 일정 온도보다 온도가 높아지면 바이메탈이 휘어지면서 스위치가 꺼져 전원이 차단된다. 바이메탈을 이용한 온도 조절 장치는 전기 밥솥, 전기 주전자, 다리미, 전기장판 등 다양한 제품에 사용된다.

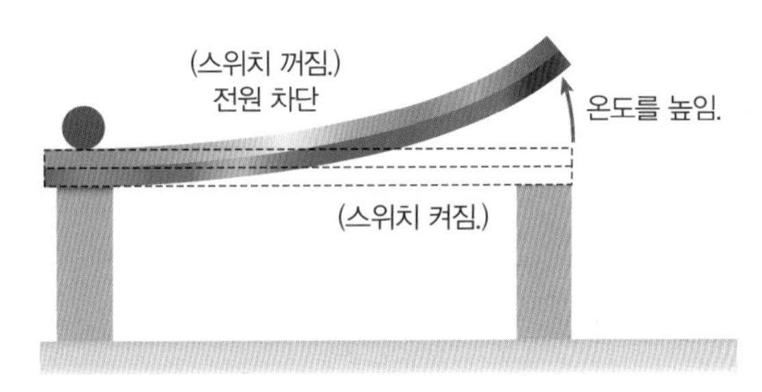

▲ 바이메탈을 이용한 온도 조절 장치

---

1. **바이메탈을 이용한 온도 조절 장치가 있는 제품은 온도가 높아지면 스위치가 꺼져 작동하지 않습니다. 짧은 시간 내에 제품이 다시 켜져서 작동하게 하는 방법을 그 까닭과 함께 쓰시오.**

바이메탈을 이용한 발명품

바이메탈을 이용한 발명품을 설계하고, 설명을 쓰시오.

Tip

발명품 아이디어 산출하기
바이메탈을 발명품에 적용하려면 열과 관련있는 것을 찾아보아야 한다. 차가워지거나 또는 뜨거워질 때의 변화를 이용하는 발명품을 만들어 보자.

- 발명품 이름

- 발명품이 사용되는 장소

- 발명 동기

- 발명품의 작동 과정 및 기능

- 발명품에서 개선할 점

1학기

3 태양계와 별

- 창의 서술형 문제
- 과학 탐구 대회

에세이 ESSAY 인공위성의 잔해, 우주 쓰레기

탐구 보고서
발명품
과학 토론
에세이 ESSAY

창의 서술형 문제

영재고•영재원 선발 대비

1 지구와 태양은 약 1억 5천만 km만큼 멀리 떨어져 있습니다. 최근 연구 결과에 의하면 지구는 1년에 약 15cm 정도씩 태양으로부터 멀어지고 있습니다. 만약 지구와 태양의 거리가 2억 km로 지금보다 더 멀어진다면 어떤 일이 생길지 예상하여 쓰시오.

비법 1
지구 내부에도 에너지가 있지만 태양이 지구에 주는 에너지의 0.02% 정도에 불과하다.

2 다음은 태양계 행성을 태양으로부터의 거리에 따라 나열하고 지구 둘레를 도는 달을 나타낸 것입니다. 우리가 쓰는 달력은 태양, 태양계 행성, 달 중 7개를 사용하여 '월화수목금토일'로 요일을 표현하고 일주일을 나타냅니다. 태양계 행성 8개 중 요일을 표현할 때 포함되지 않은 행성의 이름을 모두 쓰고, 그 까닭을 쓰시오.

비법 2
- 천왕성과 해왕성은 태양계 행성 중에서 먼 거리에 있고, 공전 속도가 매우 느리다.
- 요일을 표현할 때 태양과 달이 포함된다.

3 다음은 태양계 행성의 모습입니다. 태양계 행성의 모양이 둥근 까닭을 쓰시오.

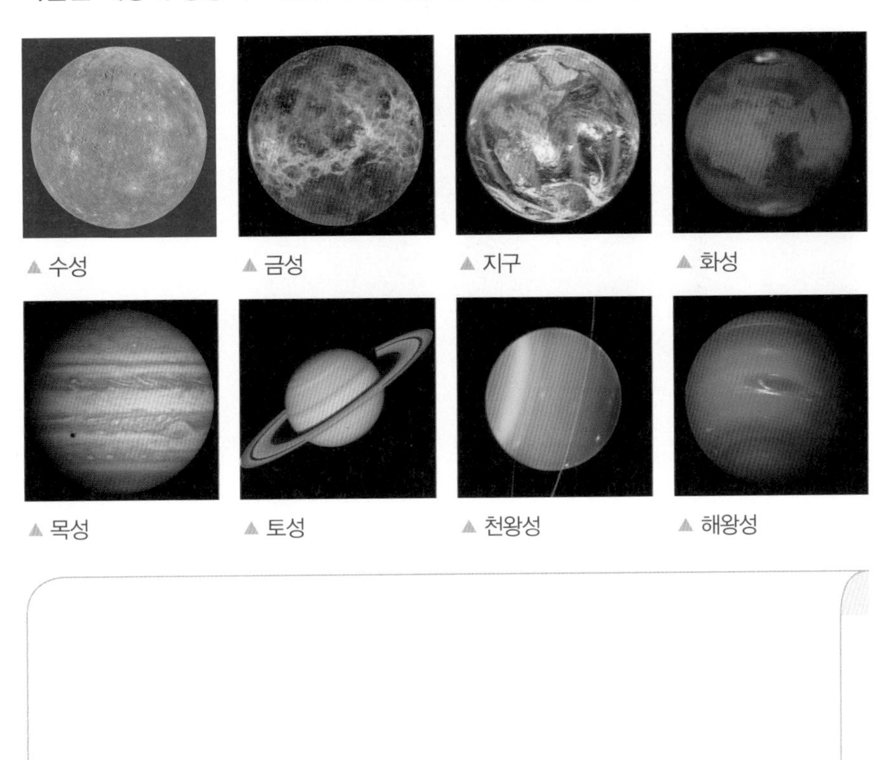

비법 3
질량이 있는 모든 물체 사이에는 서로 끌어당기는 힘이 작용한다.

4 지구의 남반구에서 북극성 주변의 별자리를 관측하기 어려운 까닭을 쓰시오.

비법 4
지구의 표면은 둥근 모양의 곡선이다.

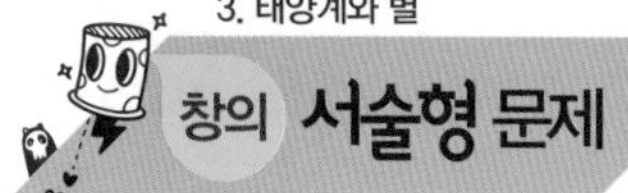

영재고·영재원 선발 대비

5 다음 ㉠은 북극성과 그 주변에 위치한 별 S의 모습입니다. 한 시간 뒤 같은 하늘을 관찰하니 별 S의 위치가 ㉡과 같았습니다. 별 S의 위치가 달라진 까닭을 쓰시오.

㉠
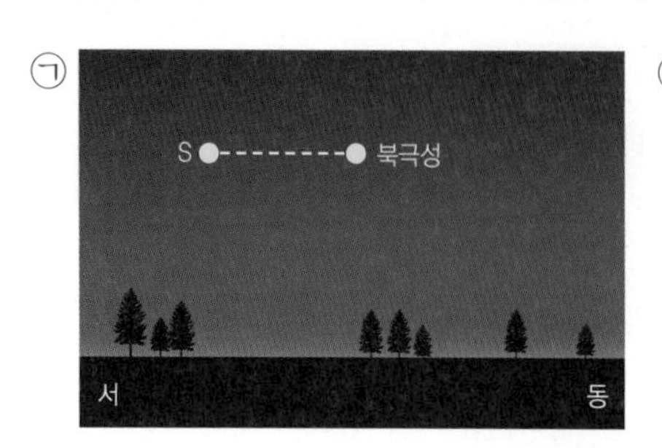

㉡
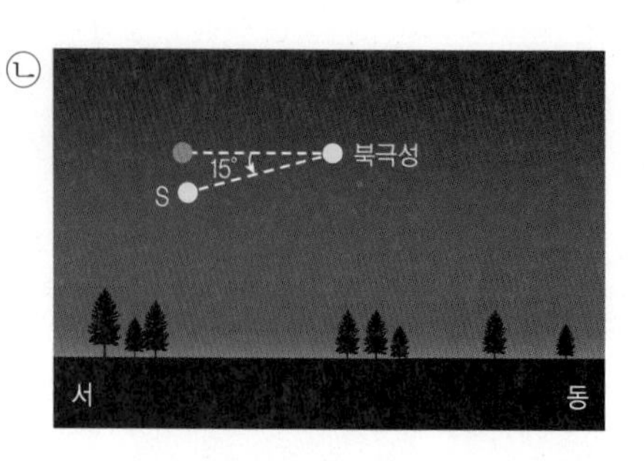

비법 5
북극성은 지구 자전축 위에 있는 별이라서 항상 같은 위치에 있다.

6 다음은 동쪽 밤하늘에서 볼 수 있는 별자리인 황소자리입니다. 별자리를 관측한 때가 언제인지 쓰시오.

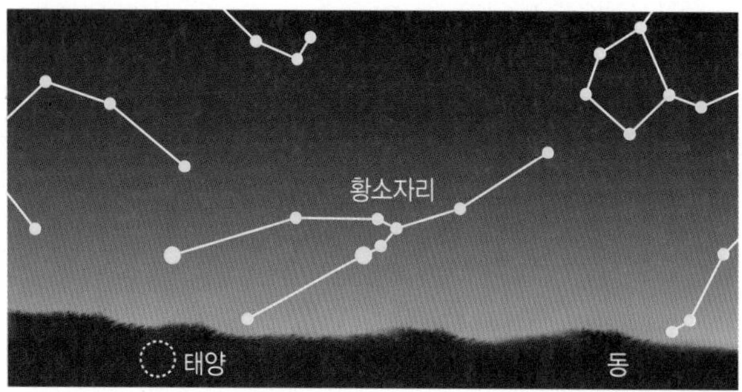

비법 6
별자리는 태양이 뜨기 전과 태양이 지고난 뒤 관측할 수 있다.

정답과 해설 64쪽

7 다음은 북극성과 카시오페이아자리의 모습입니다. ㉠과 ㉡ 중 카시오페이아자리로 알맞은 위치를 찾아 기호를 쓰고, 그 까닭을 쓰시오.

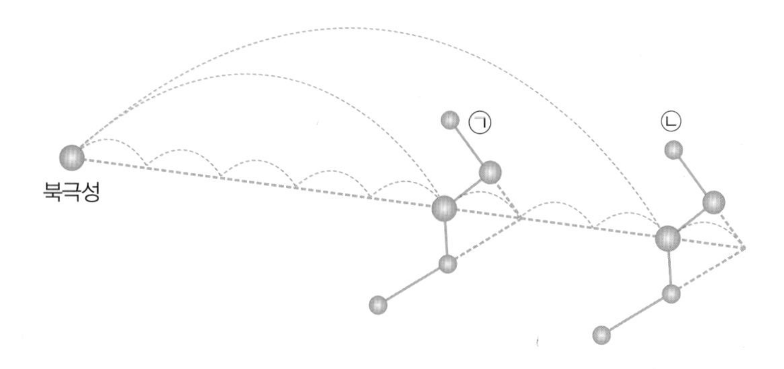

비법 7
북극성은 카시오페이아자리의 가운데 별을 잇는 선 교차점에 위치하고 있으며 카시오페이아자리를 이용하여 북극성을 찾을 수 있다.

8 다음은 금성과 화성의 특징을 나타낸 표입니다. 이를 참고하여 밤하늘을 관찰할 때 금성과 화성을 구분할 수 있는 방법을 쓰시오. (단, 밤하늘에 행성은 금성과 화성만 있다고 가정함.)

구분	금성	화성
색깔	옅은 갈색	붉은색
크기(지구 1 기준)	0.9	0.5
위치(태양에서 지구까지 거리 1 기준)	0.7	1.5
대기	매우 두꺼운 대기가 있다.	대기가 있으나 지구보다 훨씬 적다.
표면	암석과 흙으로 이루어져 있다	암석과 흙으로 이루어져 있다.

비법 8
금성과 화성을 행성의 크기로는 구분하기 어렵다. 금성은 항상 태양 가까이에서 공전하고 있다.

인공위성의 잔해, 우주 쓰레기

ESSAY (에세이)란

ESSAY는 짧은 논문을 가리키는 말로 주어진 주제를 분석하여 자신의 입장을 정하고 뒷받침할 논리적 근거를 제시하는 글을 나타낸다. 영재 학교, 과학 고등학교, 대학 부설 영재 교육원 입학시험에서는 과학 지문에 대한 자료를 주고 ESSAY를 작성하는 문항이 주어진다. ESSAY를 쓸 때에는 주어진 문제를 정확하게 이해하고, 지문과 본인이 알고 있는 과학 지식을 이용하여 논리적으로 서술하는 것이 가장 중요하다.

다음 참고 자료를 읽고 문제를 풀어 보며 우주 쓰레기에 대한 ESSAY 작성을 위해 생각을 정리해 보자.

참고 자료 1

사람들은 옛날부터 밤하늘에서 반짝이는 수많은 천체들을 관찰했다. 그중 빠르게 움직이는 것에 다닐 행(行), 별 성(星)이라 하여 행성이라는 이름을 붙였다. 지구에서 맨눈으로 볼 수 있는 행성은 수성, 금성, 화성, 목성, 토성, 총 5개이다. 움직이는 천체라고 해서 빠르게 움직이는 것은 아니기 때문에 하루만 관측해서는 다른 별들과 쉽게 구분하기 힘들다. 오랜 기간 동안 같은 시간에 같은 장소에서 관찰해야 행성이 움직이는 것을 확인할 수 있다. 그래서 과거에는 밤하늘에 떠 있는 금성을 비행기로 착각하여, 착륙하라는 신호를 보내기도 하고, 목성과 금성을 정찰기로 착각하여 추적하기도 했었다.
인공위성도 밤하늘에서 밝게 빛나 보인다. 인공위성은 천체보다 매우 작지만 인공위성의 몸체와 태양 전지판은 빛을 잘 반사시키기 때문에 인공위성이 태양 빛을 반사하고 그 빛이 우리를 향한다면 우리가 인공위성을 볼 수 있다.

---

1. 인공위성이 A~E의 위치에 있을 때 지구에서 인공위성을 볼 수 있는 위치를 모두 골라 알맞은 기호를 쓰시오.

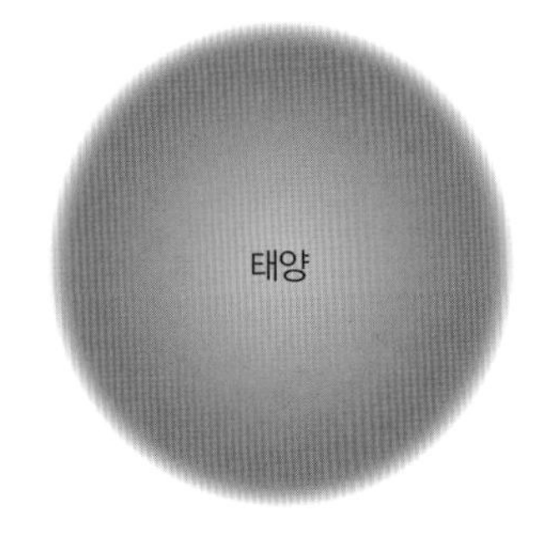

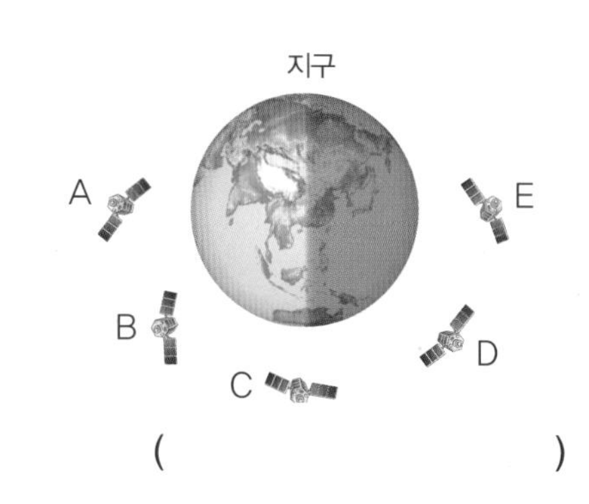

(　　　　　　　　　　)

참고 자료 2

우주 탐사의 역사가 오래된 만큼 우주 쓰레기의 양도 어마어마하다. 오래된 인공위성, 폭발한 로켓 파편, 우주선에서 떨어진 부품들, 국제 우주 정거장(ISS)에서 우주인이 떨어뜨린 공구들이 모두 우주 쓰레기가 된 것이다.

미국 항공 우주국(NASA)에 따르면 우주 쓰레기 중 크기가 야구공보다 큰 것이 약 2만 3천 개, 1~10cm 크기인 것이 약 60만 개, 1cm 이하인 것이 수백만 개라고 한다. 모든 우주 쓰레기를 합하면 무게가 약 6천 3백 톤에 이른다. 1톤 트럭 6천 3백 대가 지구 주위를 돌고 있다는 것이다.

이 수많은 우주 쓰레기가 우주선이나 인공위성, 로켓과 충돌한다면 어떻게 될까? 우주 쓰레기는 대부분 총알의 속력보다 7배나 빠른 초속 7~8km로 움직인다. 이렇게 빠른 속력으로 움직이는 물체와 충돌한다면 대형 위성이라도 절반 이상이 부서질 수 있다. 우주에서 큰 충돌 사고가 나면 충돌에 의해 부서진 파편이 다시 2차, 3차의 충돌로 이어질 수 있어서 매우 위험하다.

이렇게 우주 쓰레기의 문제점이 발생하고 있지만, 인공위성은 통신, 방송, 기상, 과학, 항해, 관측 등을 위해 필요하기 때문에 당장 사용을 중단할 수가 없다. 게다가 수명이 다한 인공위성을 대체하기 위해서 또 다른 인공위성을 쏘아야 하는 상황이다.

◀ 지구를 돌고 있는 인공위성

---

1. 우리 생활에서 인공위성이 있어서 편리한 점을 세 가지 쓰시오.

인공위성의 잔해, 우주 쓰레기

어떤 일이 일어날 것인지 쓰는 ESSAY는 다양한 관점에서 생각을 정리한 다음 작성하는 것이 좋다.

우주 쓰레기를 처리하지 못한다면 어떤 일이 일어날지 예측하여 쓰고, 해결 방법을 쓰시오.

1학기

4 용해와 용액

- 창의 서술형 문제
- 과학 탐구 대회

탐구 보고서 보이차와 카페인

탐구 보고서
발명품
과학 토론
에세이 ESSAY

창의 서술형 문제

영재고·영재원 선발 대비

1 같은 양의 물이 담긴 두 개의 비커에 같은 양의 소금과 설탕을 각각 녹인 소금물과 설탕물이 있습니다. 맛을 보지 않고 소금물과 설탕물을 구분하는 방법을 두 가지 쓰시오.

▲ 소금물

▲ 설탕물

비법 1
온도 변화와 물을 증발시키는 방법 등으로 용액의 특성을 파악할 수 있다.

2 다음은 해진이가 용액을 관찰한 뒤 정리한 내용입니다. 지워진 용액의 이름을 쓰고, 용액을 증발시켜 얻은 용질의 모양이 처음과 같을지 쓰시오.

비커에 담긴 용액 이름의 일부가 지워져서 다음과 같이 보이지 않았다. 무슨 용액인지 알기 위해 용액 몇 방울을 떨어뜨린 접시를 햇빛이 잘 드는 곳에 두고 용액의 물을 증발시킨 뒤 남은 물질의 맛을 보니 단맛이 났다.

각□□ 수용액

비법 2
- 각설탕을 물에 넣으면 부스러지면서 녹는다.
- 수용액은 용매가 물인 용액이다.

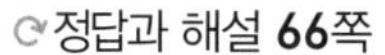
정답과 해설 66쪽

3 비커 네 개에 온도가 같은 물을 각각 500mL씩 넣은 뒤 각 비커에 탄산수소 나트륨, 분말주스 가루, 미숫가루, 가루 세제를 각각 한 숟가락씩 넣고 유리막대로 저으면서 용해되는 양을 관찰했습니다. 그 결과가 다음 표와 같을 때 물에 용해되는 양을 비교하여 쓰고, 그 까닭을 쓰시오. (다 용해되면 ○표, 다 용해되지 않고 바닥에 남으면 △표 함.)

용질	약숟가락으로 넣은 횟수(회)			
	1	2	3	4
탄산수소 나트륨	○	○	△	
분말주스 가루	○	○	○	△
미숫가루	△			
가루 세제	○	△		

비법 3
물질마다 물에 용해되는 양이 다르다.

4 물 100mL에 소금이 더 이상 녹지 않을 때까지 넣고 녹여 소금물 용액 A를 만들었습니다. 소금물 용액 A를 10mL만큼 담은 비커에 물 90mL를 넣어 소금물 용액 B를 만들었습니다. 소금물 용액 B에 소금을 넣고 저었을 때의 변화를 쓰고, 그 까닭을 쓰시오.

비법 4
용액에 용매를 더 넣으면 진하기가 달라진다.

창의 서술형 문제 영재고·영재원 선발 대비

5 **다음은 황설탕을 같은 양의 물에 녹인 용액 (가)~(라)를 비교하여 정리한 결과입니다. 용액 (가)~(라)를 진하기가 진한 순서대로 쓰고, 그 까닭을 쓰시오.**

- (다)는 (가)보다 색깔이 진하다.
- (나)가 (다)보다 맛이 진하다.
- (라)가 (다)보다 무게가 더 무겁다.
- (나)와 (라)에 메추리알을 넣었더니 (라)에서 (나)보다 메추리알이 더 높이 떠올랐다.

비법 5
같은 양의 용액에 용해된 용질이 많을수록 용액은 진하다.

6 **진수는 여름 방학에 동해와 서해 바다에서 바닷물을 병에 담아 가져왔는데, 비슷한 병에 담아 와서 동해 바닷물과 서해 바닷물을 구분할 수 없었습니다. 두 개의 병에 담긴 바닷물 중 동해 바닷물을 찾는 방법을 한 가지 쓰시오.** (단, 우리나라 강물은 대부분 서해로 흘러들어감.)

비법 6
강물이 바다로 흘러들어가면 바닷물의 진하기에 영향을 준다.

정답과 해설 66쪽

7 100g의 물이 담긴 비커 세 개에 소금을 각각 5g, 30g, 50g씩 녹여 소금물 (가), (나), (다)를 만들었습니다. 세 가지 용액에 빨강, 노랑, 파랑 색소를 넣은 뒤 5mL씩 빼내어 비커에 다음과 같이 액체 층을 쌓으려고 합니다. 용액 (가), (나), (다)에 빨강, 노랑, 파랑 중 각각 어떤 색을 넣어야 할지와 비커에 액체 층을 만들 때 용액을 넣는 순서를 쓰고, 그 까닭을 쓰시오.

파랑
노랑
빨강

비법 7
- 진하기가 다른 용액을 이용해 액체 층을 만들 수 있다.
- 같은 양의 용매에 많은 양의 용질이 녹아 있을수록 더 무겁다.

8 따뜻한 물 500mL가 담긴 비커에 백반을 계속 넣어 녹이다가 더 이상 백반이 녹지 않을 때 바닥에 남은 백반과 백반 용액을 분리해서 다른 비커에 담았습니다. 분리한 백반 용액에 설탕을 넣었더니 녹아서 없어졌습니다. 백반이 더 이상 녹지 않는 용액에 설탕이 녹는 까닭을 쓰시오.

비법 8
용질의 종류에 따라 물에 대한 용해도가 다르다.

보이차와 카페인

탐구 보고서 작성하기

탐구 보고서는 실험을 통해 얻게 된 새로운 정보와 지식, 실험 결과를 정리한 글이다. 실험 결과뿐만 아니라 어떠한 목적으로 이 실험을 수행하게 되었는지, 실험 방법과 실험 결과를 통해 어떤 결론에 도달하였는지 등을 구체적으로 작성하여야 한다. 탐구 보고서는 관심 있는 분야의 열정을 보여줄 수 있는 중요한 포트폴리오가 된다.
탐구 보고서는 탐구 주제에 대한 가설 설정, 실험 준비물, 실험 과정, 실험 결과, 실험 결론 등으로 나누어 작성할 수 있다.

다음 글을 읽고 문제를 풀어 보며 탐구 보고서 주제에 대해 알아보자.

보이차는 중국의 운남성 보이현(縣)에서 만들어져 '보이차'라고 한다. 중국에서는 오래전부터 연회나 중요한 국가 행사에 찾아온 다른 나라 사신들에게 보이차를 선물로 주었다. 우리나라 사신이 중국에 다녀와 쓴 '사행록'에도 보이차는 청나라 북경에서 가장 진귀한 차로 기록되어 있다.

보이차는 제조 과정이 일반 차와 달라서 독특한 향과 색이 있고 약용으로도 널리 쓰인다. 보이차는 운남대엽종 차나무 잎으로 만드는데, 운남대엽종이란 중국 운남성에서 자라는 차나무를 뜻한다. 보이차를 만들 때는 찻잎에 골고루 열을 가해 찻잎의 숨을 죽이고 비빈 뒤 대나무 통에 넣어 미생물을 번식시킨다. 번식시킨 미생물이 효소를 분비하여 차가 발효되는데, 이와 같은 발효 과정을 거치면서 건강에 이로운 효과가 강화된다. 그래서 보이차는 '후(後)발효차' 혹은 '곰팡이 차'로도 불린다.

▲ 차나무 잎

▲ 보이차

청나라 때 만들어진 한의학 서적 '본초강목습유(本草綱目拾遺)'에 보이차가 몸속 기름을 제거하고, 소화를 돕는다고 기록되어 있다. 보이차에는 갈산과 카테킨이라는 성분이 함유되어 있다. 갈산은 췌장에서 나오는 효소의 활동을 막아 몸에 지방이 쌓이는 것을 방해하고 신진 대사를 촉진한다. 카테킨에는 몸속에서 생성되는 활성 산소가 몸을 산화시켜 세포를 노화시키고 염증을 일으키는 작용을 막는 효과가 있다.

1. 찻잎을 우려내어 진하기가 다른 보이차를 만들기 위해 다르게 해야 할 조건을 두 가지 쓰시오.

2. 우려내는 시간에 따른 보이차의 진하기(농도)를 알아보는 실험을 설계하기 위해 같게 할 조건과 다르게 할 조건을 각각 쓰시오.

(1) 같게 해야 할 조건

(2) 다르게 할 조건

보이차와 카페인

배경 지식

보이차는 오랫동안 발효시켜 만들기 때문에 먼지와 불순물이 포함되어 있다. 먼지와 불순물을 제거하기 위해 보이차를 우려내기 전에 보이차 찻잎을 100℃ 물로 20초 정도 씻어 내는 것을 '세차'라고 한다. 세차를 통해 보이차 찻잎에 있는 카페인이 제거된다.
다음은 온도에 따른 카페인의 용해도 변화를 나타낸 그래프이다. 물의 온도가 80℃일 때 카페인의 용해도는 20이고, 물의 온도가 100℃일 때 카페인의 용해도는 70이다. (단, 용해도는 일정한 온도에서 물(용매) 100g에 최대로 녹을 수 있는 용질의 그램(g) 수이다.)

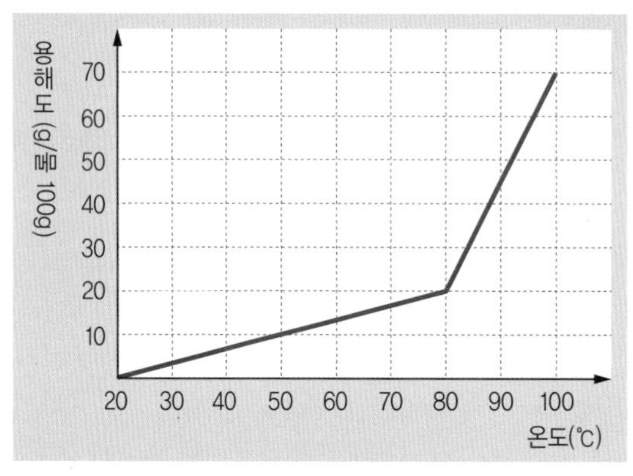

▲ 온도에 따른 카페인의 용해도 변화

연구 주제 **보이차의 세차 효능에 대한 연구**

● **가설 설정**

보이차를 우려내기 전 보이차 찻잎을 세차하지 않고 차를 우려내는 것보다 보이차 찻잎을 세차 한 뒤 차를 우려내는 경우에 보이차의 카페인이 줄어들 것이다.

정답과 해설 67쪽

● **탐구 과정**

탐구 과정을 설계하여 구체적으로 쓰시오.

● **탐구 결과**

물의 온도(℃)	60	70	80	90	100
카페인의 함량(mg)	0.1	1	1.5	5.3	11.2

탐구 결과를 그래프로 그리시오.

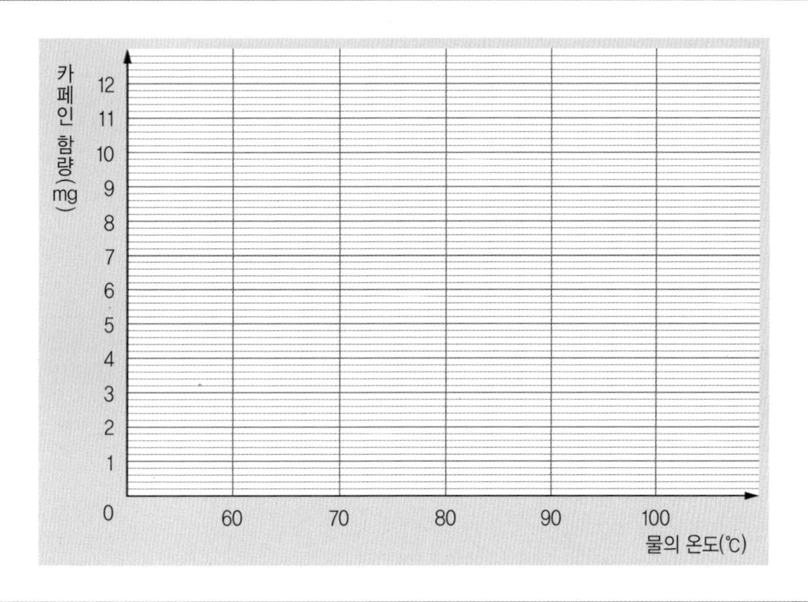

● **결과 해석**

세차는 보이차 찻잎을 100℃ 정도의 물로 20초 동안 씻어 내는 것이다. 100℃에서는 카페인의 용해도가 급격히 높아지므로 보이차 찻잎에 있는 카페인이 대부분 물에 녹아 씻겨 없어져 세차 한 보이차 찻잎으로 차를 우려내면 보이차에 포함된 카페인이 적을 것이다.

1 학기

5 다양한 생물과 우리 생활

- 창의 서술형 문제

- 과학 탐구 대회

발명품 세균을 없애는 발명품

창의 서술형 문제

영재고·영재원 선발 대비

1 준호네 선생님께서는 과학 수업 준비물로 식물을 가져오라고 하셨습니다. 준호는 부엌에서 식물을 찾다 버섯을 챙겨 왔고, 선생님께서 버섯은 식물이 아니라고 하셨습니다. 버섯이 식물이 아닌 까닭을 두 가지 쓰시오.

▲ 버섯

비법 1
식물은 뿌리, 줄기, 잎으로 되어 있다.

2 빵 6개에 번호를 붙이고, ①~③번에는 물을 뿌린 뒤, ①, ④번은 창가에 ②, ⑤번은 냉장고에 ③, ⑥번은 책상 밑에 두고 관찰했습니다.

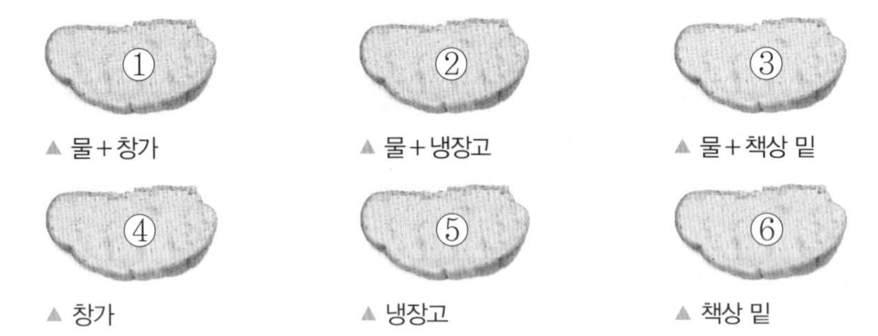

▲ 물+창가 ▲ 물+냉장고 ▲ 물+책상 밑
▲ 창가 ▲ 냉장고 ▲ 책상 밑

다음은 ①~⑥번 빵에 곰팡이가 피는 것을 관찰한 결과입니다. 이 결과를 보고, 곰팡이가 잘 자라는 환경을 쓰고 그렇게 생각한 까닭을 쓰시오.

[실험 결과]
- 곰팡이의 양 비교: ③>⑥>①>④>②=⑤
- 창가에 둔 빵(①, ④) 중 물을 뿌린 빵(①)에서 곰팡이가 더 많이 자랐다.
- 냉장고에 둔 빵(②, ⑤)에서는 둘 다 곰팡이가 자라지 않았다.
- 책상 밑에 둔 빵(③, ⑥) 중 물을 뿌린 빵(③)에서 곰팡이가 더 많이 자랐다.

비법 2
버섯은 그늘진 곳에서 잘 자란다.

3 겨울철에는 여러 겹의 옷과 두꺼운 겉옷을 입고, 여름철에는 얇은 옷을 입습니다. 겨울옷에는 곰팡이가 잘 자라지 않고 여름옷에는 곰팡이가 잘 자라는 까닭을 쓰시오.

▲ 겨울옷 ▲ 여름옷

비법 3
곰팡이는 습하고 따뜻한 곳에서 잘 자라며 양분을 스스로 만들 수 없다.

4 오른쪽과 같은 현미경으로 짚신벌레를 관찰했습니다. 접안렌즈의 배율을 10배, 대물렌즈의 배율을 10배로 관찰하였더니 짚신벌레가 32마리 보였습니다. 이때 접안렌즈를 그대로 두고 대물렌즈를 40배로 바꿨다면 짚신벌레는 32마리보다 더 많이 보이는지 더 적게 보이는지 쓰고, 그 까닭을 쓰시오.

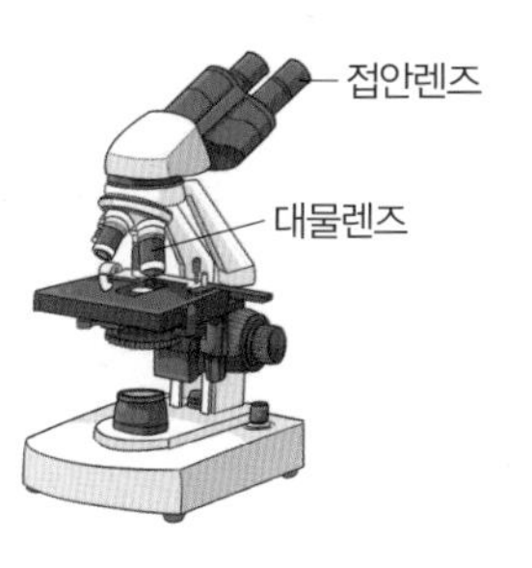

비법 4
현미경의 배율은 접안렌즈의 배율×대물렌즈의 배율이다. 배율이 커질수록 관찰 대상이 더 확대되어 보인다.

창의 서술형 문제

영재고·영재원 선발 대비

5 해캄은 봄부터 여름에 걸쳐 수온이 높은 때 호수나 늪 등에서 자연적으로 발생합니다. 울산의 태화강이 해캄으로 뒤덮힌 문제가 발생했을 때 해캄의 과잉 발생 원인을 날씨가 더워져 수온이 높아지고 강수량이 크게 줄었기 때문이라는 기사가 있었습니다. 강수량이 적어 물이 흐르지 않는 곳에서 해캄이 잘 자라는 까닭을 쓰시오.

▲ 해캄

비법 5
해캄은 풍부한 영양분이 있고 따뜻한 곳에서 잘 자란다.

6 세균과 곰팡이는 병을 일으키기도 하고 음식물을 상하게도 합니다. 하지만 이런 세균이나 곰팡이가 사라진다면 우리의 생활에 문제가 생깁니다. 세균과 곰팡이가 사라진다면 발생할 문제점을 두 가지 쓰시오.

▲ 세균

▲ 곰팡이

비법 6
세균과 곰팡이는 병을 일으키기도 하고, 오염 물질을 분해하기도 한다.

정답과 해설 68쪽

7 우리는 세균이나 바이러스에 감염되어 병에 걸리는 것을 막기 위하여 예방 접종을 합니다. 그런데 예방 접종을 하는 약에는 세균이나 바이러스를 죽이는 물질이 아니라 질병을 일으키는 병원균이 들어 있습니다. 예방 접종을 하는 약에 병원균이 들어 있는 까닭을 쓰시오.

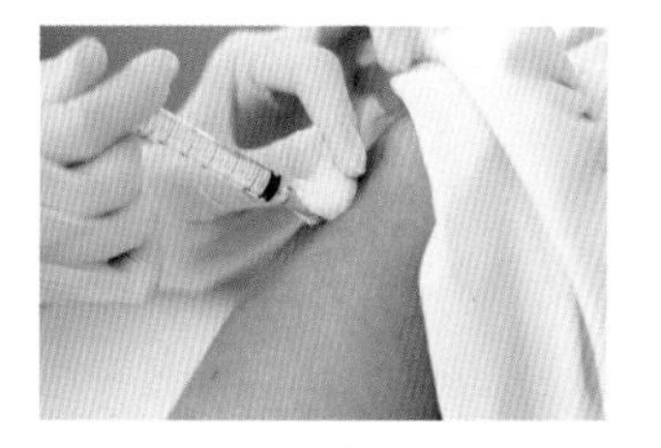

비법 7
우리 몸에는 병원균이 들어오면 병원균에 대항할 수 있는 물질들을 만드는 면역 기능이 있다.

8 우리 조상들은 땅을 파고 김칫독을 묻어 김치를 보관하였습니다. 현대에는 김치 냉장고를 이용하여 김치를 일정한 온도에서 보관합니다. 김치 냉장고의 원리를 생각하여 옛날에 김치를 땅속에 보관했던 까닭을 쓰시오.

비법 8
발효는 미생물이나 곰팡이를 이용하여 인간에게 이로운 물질을 만들어 내는 과정이다. 미생물은 일정한 온도에서 잘 자란다.

세균을 없애는 발명품

발명품 경진 대회

발명품 경진 대회는 창의적인 아이디어를 구체화하는 과정을 통해 문제 해결 능력을 향상할 수 있는 대회이다. 발명품은 아직까지 없었던 물건을 새롭게 생각한 것이어야 한다. 발명품은 과학적 원리가 포함되어야 하며 발명품의 설계도, 작품의 설명이 포함되어야 한다. 발명품 대회는 1단계 학교 대회(3~4월)를 진행하고, 2단계 시·도 예선과 본선을 거쳐, 전국대회를 진행하는 큰 대회이다.

다음 참고 자료를 읽고 문제를 풀어 보며 세균을 없애는 발명품에 대해 생각해 보자.

참고 자료 1

우리 주변에는 맨눈으로 볼 수 없는 세균들이 살고 있다. 한 마리의 세균이 10분에 한 번씩 분열한다면 20분 후에는 4마리, 1시간 후에는 64마리, 4시간 후에는 1600만 마리가 넘게 늘어난다. 모든 세균이 사람의 몸에 해를 끼치는 것은 아니지만 사람에게 병을 일으키는 세균은 심할 경우 혈관으로 돌아다니며 중독 증상을 일으켜 생명을 위험하게 할 수 있다.
눈으로 보기에 깨끗해 보이는 사람 손에는 12만 마리 정도의 세균이 있다. 따라서 우리 주변에서 사람의 손이 많이 닿는 곳에는 세균이 많다. 키보드에는 변기보다 5배나 많은 세균이 있다. 키보드만큼 사람의 손이 많이 닿는 TV 리모컨도 비슷한 상황이다. 스마트폰에는 변기보다 10배나 많은 세균이 있다. 우리가 자주 이용하는 상가, 아파트 등의 승강기 버튼에는 세균이 변기보다 40배나 많다는 연구 결과가 있다.
우리의 건강을 위해서 사람의 손이 많이 닿는 키보드, TV 리모컨, 스마트폰 등은 자주 닦아 주는 것이 좋다. 또 여러 사람들이 자주 만지는 것들을 만졌을 경우에 손을 깨끗하게 씻어야 감염병을 예방할 수 있다.

---

1. 위 사례 이외에 우리 주변에서 사람들의 손이 많이 닿는 물건 다섯 가지를 찾아 쓰시오.

정답과 해설 69쪽

참고 자료 2

우리 몸에 나쁜 세균들은 어떻게 죽일 수 있을까? 세균을 없애는 방법에는 크게 물리적 방법, 화학적 방법, 생물적 방법, 세 가지가 있다.

• 물리적 방법

열이나 압력을 가하여 세균을 직접적으로 죽이는 방법이다. 세균이 있는 물체를 불꽃에 직접 접촉시켜서 세균을 태워 죽이는 방법, 세균이 있는 물체를 끓는 물에 넣어서 세균을 죽이는 방법, 세균이 있는 물체에 자외선(UV)을 쏘여 세균을 죽이는 방법 등이 있다.

• 화학적 방법

알코올, 과산화 수소, 락스 등을 이용하여 살균하는 방법이다. 물리적 방법으로 세균을 죽일 수 없거나 비교적 간편하게 세균을 죽이려고 할 때 사용된다. 사람의 몸속에서 해를 끼치는 미생물은 항생제를 이용해서 선택적으로 죽일 수 있다. 손 소독제로 손에 있는 세균을 죽이는 것도 화학적 방법에 포함된다.

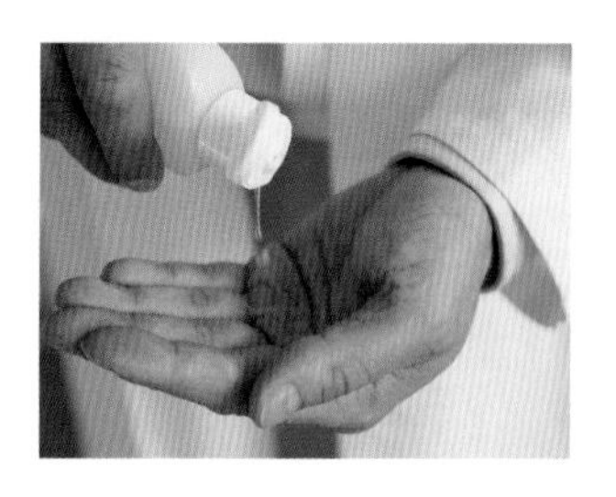

• 생물적 방법

인체에 유용한 세균을 이용하여 다른 세균을 없애는 방법이다. 발효 식품에 있는 유용한 유산균을 이용하여 해로운 세균이 살지 못하는 환경을 만드는 간접적인 방법 등이다.

물리적 방법, 화학적 방법, 생물적 방법 중 물리적 방법으로는 세균을 모두 없앨 수 있지만, 화학적 방법과 생물적 방법으로는 세균을 모두 없애기는 어렵다. 그래서 세균을 완전히 없애려면 없애려고 하는 세균의 특성을 정확히 분석해서 그 세균에 알맞은 제거 방법을 찾는 것이 중요하다.

---

1. **우리 주변에서 사람의 손이 많이 닿는 물체를 한 가지 고르고, 그 물체에서 세균을 효과적으로 없애는 방법을 쓰시오.**

과학 탐구 대회 실전 발명품

세균을 없애는 발명품

우리 주변에서 세균이 많을 것 같은 물품을 정하고, 그 물품의 세균을 없앨 수 있는 발명품을 설계한 뒤 설명을 쓰시오.

Tip

발명품 아이디어 산출하기

- 강제 결합법: 세균에 노출되기 쉬운 물품과 세균을 없앨 수 있는 방법을 결합하여 새로운 물건을 만들 수 있다.

정답과 해설 69쪽

- 발명품 이름

- 발명품이 세균을 제거하는 방법

- 발명품의 기능

- 발명품에서 개선할 점

2학기

2 생물과 환경

- 창의 서술형 문제
- 과학 탐구 대회

에세이 ESSAY 조류와 녹조 현상

창의 서술형 문제 영재고·영재원 선발 대비

1 생태계는 생산자, 소비자, 분해자 등 다양한 구성 요소로 이루어져 있습니다. 만약 생태계에서 분해자가 없어진다면 생태계에는 어떤 현상들이 일어날지 쓰시오.

비법 1
생태계에서 한 부분에 이상이 생기면 생태계 전체가 파괴된다.

2 공룡이 멸종한 까닭에 대한 여러 가지 가설이 있습니다. 그중 운석 충돌설은 운석이 지구에 충돌하여 지구에 급격한 변화가 일어나 공룡이 멸종하였다는 가설입니다. 운석이 충돌하였을 뿐인데 왜 공룡이 멸종했을지 그 까닭을 쓰시오.

▲ 공룡 화석 모형

비법 2
운석이 충돌하면 지구 표면에 있던 먼지가 대기를 뒤덮어 햇빛이 들어올 수 없다.

실전 풀이 강의

3 1980년대에는 외국에서 들어온 황소개구리의 수가 매우 빠르게 늘어났습니다. 황소개구리는 천적이 없고 토종개구리뿐 아니라 곤충, 물고기 등 다양한 생물을 마구 잡아먹어 우리나라 생태계가 파괴되었습니다. 하지만 지금은 황소개구리의 수가 급격하게 줄어서 위협적인 상황이 아닙니다. 갑자기 황소개구리의 수가 줄어든 까닭을 쓰시오.

▲ 황소 개구리

비법 3
생태계에서 특정한 개체가 급격히 많아지면 결국 개체끼리 경쟁을 하게 된다.

4 열대 우림에 있는 바나나 나무의 잎은 크고 넓습니다. 사막에 있는 선인장의 잎은 뾰족한 가시로 되어 있습니다. 두 식물은 각자의 환경에 적응하기 위해서 이와 같은 모습을 하게 되었습니다. 바나나 나무의 잎은 넓고 선인장의 잎은 뾰족한 까닭을 쓰시오.

▲ 바나나 나무

▲ 선인장

비법 4
바나나 나무가 자라는 열대 우림은 비가 많이 내리고 온도가 뜨거운 지역이고, 사막은 비가 적게 내려 건조하고 온도가 높은 지역이다. 식물의 잎에서는 기공을 통해 식물 안에 있는 물을 밖으로 배출하는 증산 작용이 일어난다.

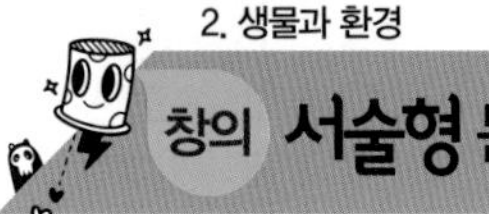

영재고·영재원 선발 대비

5 산업 혁명의 출발지인 영국은 19세기에 석탄 사용이 급증하면서 공업 지역 주변이 석탄 검댕으로 뒤덮였습니다. 이후 영국 전역에서 공업 지역을 중심으로 검은색 나방의 수가 점점 늘어 이전부터 살았던 얼룩 나방보다 많아졌습니다. 나무에 붙어 사는 나방 중 이전부터 살았던 얼룩 나방이 줄고 검은색 나방의 수가 늘어난 까닭을 쓰시오.

▲ 얼룩 나방

비법 5
산업화로 검댕(미세먼지)이 나무의 표면에 쌓여 색을 검게 변화시켰다.

6 녹조 때문에 식수원의 안전이 위협받고 있습니다. 녹조는 오염 물질의 유입, 수온 상승, 일조량 증가, 물 순환 정체 때문에 발생합니다. 녹조는 사람에게도 치명적인 영향을 미치지만 수중 생태계에도 영향을 미칩니다. 녹조가 수중 생태계에 미치는 영향을 쓰시오.

비법 6
주로 남조류가 많이 발생하여 녹조가 생기면 남조류가 강 표면을 뒤덮게 되고, 이로 인해 햇빛이 차단된다.

정답과 해설 70쪽

7 메뚜기 떼는 생태계에 큰 영향을 미칩니다. 메뚜기 떼가 출몰하면 생태계에 어떤 변화가 일어나는지 먹이 피라미드로 설명하여 쓰시오.

▲ 생태 피라미드

비법 7
생태 피라미드에서 메뚜기는 1차 소비자, 벼는 생산자이다.

8 인간의 역할에 주목한 일부 과학자들은 현재의 지구를 '인류세'라는 새로운 지질 시대로 명명하기도 합니다. 하지만 지난 50년 사이에 인간이 매우 빠르게 발전하면서 생태계가 파괴되어 많은 동물들이 사라졌습니다. 인류의 발전이 생태계 파괴에 미치는 예를 세 가지 쓰시오.

비법 8
인간이 비약적으로 발전시키는 사회는 기후, 생태계 등 여러 부분에 영향을 미치고 이러한 영향은 다시 자연과 인간에게 영향을 미친다.

조류와 녹조 현상

ESSAY (에세이)란

ESSAY는 짧은 논문을 가리키는 말로 주어진 주제를 분석하여 자신의 입장을 정하고 뒷받침할 논리적 근거를 제시하는 글을 나타낸다. 영재 학교, 과학 고등학교, 대학 부설 영재 교육원 입학시험에서는 과학 지문에 대한 자료를 주고 ESSAY를 작성하는 문항이 주어진다. ESSAY를 쓸 때에는 주어진 문제를 정확하게 이해하고, 지문과 본인이 알고 있는 과학 지식을 이용하여 논리적으로 서술하는 것이 가장 중요하다.

다음 참고 자료를 읽고 문제를 풀어 보며 녹조 현상에 대한 ESSAY 작성을 위해 생각을 정리해 보자.

참고 자료

조류는 강이나 바다, 호수, 연못과 같은 물속에 사는 작은 생물로, 햇빛을 받아 이산화 탄소를 이용해 광합성 작용을 하여 산소와 유기물을 만든다. 조류는 물벼룩, 동물성 플랑크톤과 같은 1차 소비자의 먹이이면서 산소와 유기물을 공급하는, 생물들에게 없어서는 안 될 중요한 에너지 공급원이다.

▲ 녹조

하지만 조류가 너무 많이 증식하여 녹조 현상이 나타나면 생태계에 피해를 준다. 조류가 많이 번성해서 수면을 덮으면 물속으로 들어가는 햇빛을 차단하여 깊은 물에 사는 식물이 광합성을 할 수 없게 된다. 그러면 식물이 살 수 없고 물속에 산소가 부족하여 많은 동물이 갑자기 죽게 된다. 죽은 동식물들의 사체가 물속에서 부패하게 되면 악취가 발생하고 독성 물질이 생겨 살아 있는 생물들도 살아가기 힘들게 되므로 생태계 균형이 깨지기 쉽다.

녹조 현상의 원인은 대부분은 여름철 높은 온도에서 주로 증식하는 남조류이다. 남조류는 조류의 한 종류이며 조류는 탄소, 산소, 수소, 질소, 인 등으로 이루어져 있다. 이 중 탄소, 산소, 수소는 공기와 물에서 충분히 공급받을 수 있기 때문에 조류의 번식에 결정적인 영향을 주는 요소는 질소와 인이다. 가정에서 배출되는 생활 하수와 공장이나 산업 단지에서 배출되는 산업 폐수, 비가 올 때 빗물에 따라 내려오는 쓰레기와 비료, 퇴비들이 많은 질소와 인을 포함하고 있어 조류의 영양 공급원이 된다. 또 조류가 광합성 작용을 활발하게 할 수 있는 여건이 되면 조류가 폭발적으로 늘어나기 때문에 조류는 햇빛이 강하고 물의 온도가 높고, 물이 잘 흐르지 않을 때 빠르게 성장한다.

정답과 해설 71쪽

1. 조류가 폭발적으로 늘어나는 원인을 두 가지 쓰시오.

2. 먹이 사슬을 이용하여 녹조 현상을 막는 방법을 쓰시오.

3. 비생물적 요소를 이용하여 녹조 현상을 막는 방법을 쓰시오.

조류와 녹조 현상

Tip

ESSAY(에세이) 쓰는 방법
과학적 ESSAY는 문제를 다양한 관점으로 바라보고 작성해야 한다. 또한 까닭과 과학적인 개념을 연결하여 작성한다.

녹조 현상이 계속 일어나면 어떤 일들이 일어날지 쓰고, 해결 방법을 쓰시오.

2학기

3 날씨와 우리 생활

- 창의 서술형 문제

- 과학 탐구 대회

과학 토론 이상 한파의 대처 방안

탐구 보고서 | 발명품 | 과학 토론 | 에세이 ESSAY

창의 서술형 문제

영재고·영재원 선발 대비

1 습도는 오른쪽과 같은 건습구 습도계를 이용해 측정합니다. 다음 습도표에서 건구와 습구의 온도 차가 일정할 때 습구 온도가 증가할수록 습도가 증가하는 까닭을 쓰시오.

(단위: %)

습구 온도 (℃)	건구와 습구의 온도 차(℃)						
	0	1	2	3	4	5	6
10	100	88	78	69	60	52	45
11	100	89	79	69	61	54	47
12	100	89	79	70	62	55	48
13	100	90	80	71	63	56	50

비법 1
물은 수증기가 되면서 열에너지를 흡수한다.

2 차가운 음료가 담긴 컵을 실온에 두면 오른쪽과 같이 컵 표면에 물방울이 생깁니다. 빨래 건조기는 이러한 원리를 거꾸로 이용하여 젖은 옷을 말립니다. 빨래 건조기가 습기를 제거하는 방법을 쓰시오.

비법 2
빨래 건조기의 부품인 콘덴서는 빨래에서 배출된 습기를 물로 변환시키는 장치이다.

정답과 해설 72쪽

3 다음은 백로에 대한 설명입니다. 백로에 이슬이 잘 맺히는 까닭을 쓰시오.

백로(白露)는 흰 이슬이라는 뜻이며 매년 양력 9월 8일경으로 이십사절기 중 열다섯 번째 절기로서 가을이 본격적으로 시작하는 시기이다. 백로 무렵에는 장마가 지난 후여서 맑은 날씨가 계속되며 풀잎이나 물체에 이슬이 잘 맺힌다.

▲ 이슬

비법 3
이슬은 수증기가 응결하여 형성된 것이다.

4 물놀이를 할 때 튜브에 공기를 빵빵하게 넣고 물 위에 띄워 타고 놉니다. 이렇게 공기를 가득 불어 넣은 튜브의 내부는 외부와 비교하여 고기압인지 저기압인지 쓰고, 그 까닭을 쓰시오.

비법 4
상대적으로 공기가 무거운 것을 고기압이라고 하고, 상대적으로 공기가 가벼운 것을 저기압이라고 한다.

창의 서술형 문제

영재고·영재원 선발 대비

5 다음은 우리나라에서 지면과 수면의 하루 동안 온도 변화를 나타낸 그래프입니다. 지구의 적도와 극지방에서는 지면과 수면의 온도 차이가 우리나라와 비교하여 어떻게 달라지는지 쓰시오.

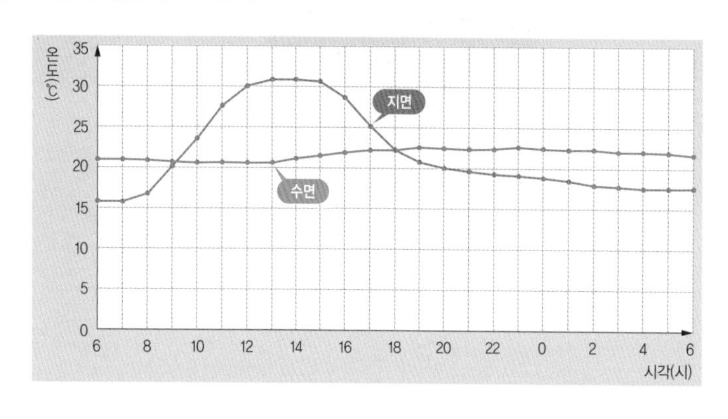

비법 5

- 적도에서는 우리나라보다 태양의 남중 고도가 높고, 극지방에서는 우리나라보다 태양의 남중 고도가 낮다.
- 태양의 남중 고도가 높으면 태양 빛이 더 강하다.

6 바닷가에서 낮에는 해풍이 불고, 밤에는 육풍이 붑니다. 산에서는 낮에 골짜기 아래에서 산꼭대기 방향으로 곡풍이 불고, 밤에 산꼭대기에서 골짜기 또는 평야 방향으로 산풍이 붑니다. 해풍과 육풍이 부는 원리를 생각하여 산풍과 곡풍이 부는 원리를 쓰시오.

▲ 해풍

▲ 육풍

비법 6

산풍과 곡풍은 산꼭대기뿐만 아니라 산 경사면의 가열과 냉각을 생각하여 해석해야 한다.

정답과 해설 72쪽

7 **다음은 우리나라의 계절별 날씨에 영향을 미치는 기단 A~D입니다. 지도가 남반구라고 가정했을 때 기단 A~D의 특징을 '온도'와 '습도' 측면에서 각각 정리하여 쓰시오.** (단, 그림에서 동서남북의 변함은 없으며 우리나라 위치는 북반구 중위도가 아닌 남반구 중위도에 위치한다고 가정함.)

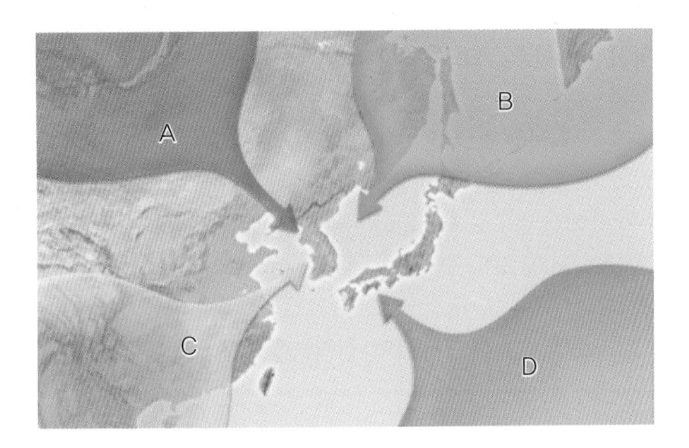

비법 7
기단은 한 장소에 오랫동안 머물러 있어 기온과 습도 등이 비슷해진 거대한 공기 덩어리이며 그 발생 지역의 고유한 성질을 띠고 있다.

8 **다음 날씨와 관련된 속담 중 틀린 것의 기호와 그 까닭을 쓰고, 바르게 고쳐 쓰시오.**

㉠ 갓난아기가 투레질하면 비가 온다.
㉡ 머리카락이 헝클어지면 비 올 징조이다.
㉢ 청개구리가 높은 곳에 있으면 날씨가 맑다.
㉣ 아침에 거미줄에 이슬이 맺히면 날씨가 맑다.

비법 8
㉠ 투레질은 젖먹이가 입술을 떨며 투루루 소리를 내는 것이다. ㉡ 비 오는 날에는 머리카락이 부스스하다. ㉢ 청개구리는 피부가 민감하다. ㉣ 맑은 날 아침에 이슬이 잘 생긴다.

이상 한파의 대처 방안

과학 토론 대회란

실생활 및 미래에 발생되는 문제 상황을 과학적으로 분석하고 이를 해결할 수 있는 다양한 측면의 문제 해결 방안을 창의적으로 생각하여, 3~4장의 개요서(요약서)를 작성하여 자신의 의견을 토론하는 대회이다.
개요서(요약서)를 바탕으로 상대와의 과학적 소통을 통해 보다 논리적이고 발전적인 대안을 도출하는 토의·토론 종목이다. 문제 상황과 토론 논제는 대회 당일 현장에서 발표하고 정보 수집 및 활용에 필요한 논제 관련 참고 자료를 주최 측에서 별도로 제공한다. 주어진 자료를 바탕으로 주장, 문제 원인 및 과학적 분석, 해결 방안을 개요서(요약서)에 모두 작성하여 토론을 준비하여야 한다.

다음 참고 자료를 읽고 문제를 풀어 보며 토론 개요서(요약서) 작성을 위해 생각을 정리해 보자.

참고 자료

최근 북반구에는 이상 한파가 몰아치고 있다. 한파는 기온이 갑자기 내려가는 현상이다. 이상 한파의 영향으로 영국을 비롯한 서유럽에는 집중적으로 폭설이 쏟아져 항공기가 운항하지 못하고 일 년 내내 따뜻한 온도를 유지하는 미국 남부에서도 기록적인 폭설이 내려 20,000건의 항공기 운항이 취소되고, 많은 고속도로가 폐쇄되기도 했다. 가축이나 물고기 등은 폐사하기도 하고, 비닐하우스 안의 작물들이 얼어서 식량이 부족해지기도 했다.

중국의 북부 지역에서는 영하 40℃를 밑도는 추운 날씨가 이어지면서 가축들이 떼죽음을 당하기도 하였다. 우리나라도 한파 때문에 양식장의 물고기가 얼어 죽고 수도관이 터지는 등 많은 피해를 입었다.
지구가 뜨거워지고 있다고 하는데 이상 한파와 폭설은 왜 더 자주 발생하는 것일까? 전문가들은 최근의 한파를 '지구 온난화에 대한 지구의 반작용'이라고 이야기한다. 지구의 평균 기온은 끊임없이 오르락내리락 했지만, 일정 범위를 벗어나지는 않았다. 최근에 일정한 지역

에만 한정적으로 발생하는 한파는 급격하게 상승하는 기온을 진정시키려는 지구의 노력이 라고 볼 수 있다.

지구의 상공에서는 차갑고 강한 바람인 제트 기류가 순환하고 있다. 그중 북극 주위를 순환하는 극 제트 기류는 북극 주변의 찬 공기가 남쪽으로 내려오지 못하게 하는 커튼 역할을 한다. 하지만 지구 온난화로 북극의 빙하가 녹고, 북극의 기온이 올라가서 북극 주위를 도는 극 제트 기류의 힘이 약해져 북극 주변의 찬 공기가 남쪽으로 내려온다. 찬 공기가 남쪽으로 내려올수록 북반구의 온도가 낮아져 한파가 발생한다.

한파가 발생하면 주거 공간이 없는 사람들이나 야외에서 일을 해야 하는 사람들은 동상이 걸리거나 체온이 낮아지는 저체온증이 생길 수 있다. 또 한파가 지속되면 기름이 얼어붙어 연료를 사용하기 어려워진다. 한파는 도로를 얼게 하여 도로가 매우 미끄러워지고 거센 바람 때문에 한파 속에서는 자동차나 비행기가 정상적으로 운행하기 어렵다.

한파가 발생했을 때 피해를 줄이려면 외출을 자제하고, 외출 시에는 얼굴, 손 등 노출되는 부분에 보온을 잘하고 손가락, 귓바퀴 등은 동상에 걸리지 않도록 조심해야 한다. 심한 체온 저하로 피로, 기억 상실, 방향 감각 상실 등의 문제가 생길 때에는 저체온증을 의심하고 신속하게 병원으로 가야 한다. 외출 시에는 되도록 대중교통을 이용하고 길이 미끄러우므로 천천히 이동하여 빙판길 사고를 예방하여야 한다. 집에서는 수도관이 얼어서 터지는 경우가 많으므로, 계량기를 낡은 옷이나 스타이로폼으로 감싸 주고, 오래 집을 비울 경우에는 수돗물을 약간 틀어 두어 물이 얼지 않고 흐를 수 있도록 해야 한다.

[토론 논제]가 다음과 같을 때 토론 개요서(요약서)에서 핵심적으로 서술해야 하는 항목을 두 가지 쓰시오.

토론 논제

지구에 막대한 피해를 준 이상 한파의 원인을 과학적으로 분석하고, 이상 한파에 의한 피해를 줄일 수 있는 창의적인 대처 방안을 제시하시오.

과학 탐구 대회 실전 과학 토론

이상 한파의 대처 방안

앞의 참고 자료를 보고, 토론 개요서(요약서)를 작성하시오.

논제

지구에 막대한 피해를 준 이상 한파의 원인을 과학적으로 분석하고, 이상 한파에 의한 피해를 줄일 수 있는 창의적인 대처 방안을 제시하시오.

주장

나의 주장을 쓰세요.

문제 원인 및 피해

문제 원인 및 피해에 대한 나의 생각을 쓰세요.

정답과 해설 **74**쪽

해결 방안

해결 방안에 대한 나의 생각을 쓰세요.

2학기

4 물체의 운동

- 창의 서술형 문제
- 과학 탐구 대회

탐구 보고서 운동하는 물체의 속력

창의 서술형 문제

영재고·영재원 선발 대비

1 다음은 민수네 마을 길을 나타낸 것입니다. 민수가 서점에서 학교(A)까지 가는 데 10초가 걸리고, 영주가 서점에서 도서관(B)까지 가는 데 15초가 걸립니다. 민수와 영주가 동시에 서점에서 출발하여 학원(C)까지 간다면 누가 먼저 도착할지 쓰고, 그 까닭을 쓰시오. (단, 민수와 영주는 항상 가장 짧은 거리로 이동하고, 각각 이동하는 빠르기는 일정함.)

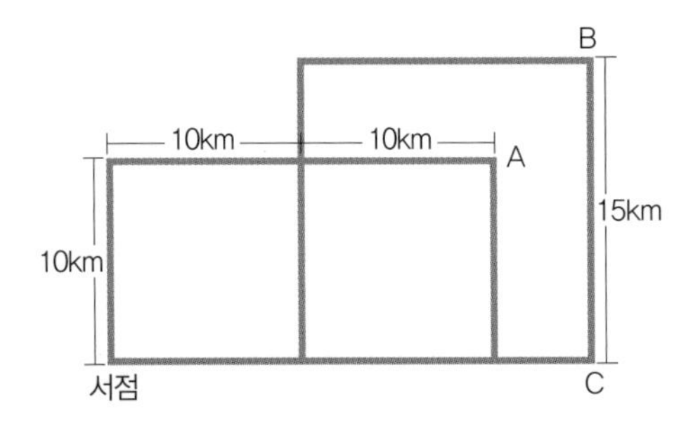

비법 1
같은 거리를 이동할 때 빠르기가 더 빠른 사람이 먼저 도착한다.

2 박쥐는 어두운 곳에서도 잘 움직입니다. 박쥐가 어두운 곳에서도 장애물에 부딪히지 않고 잘 움직일 수 있는 까닭을 쓰시오.

박쥐 ▶

비법 2
박쥐는 초음파를 쏠 수 있다.

정답과 해설 74쪽

3 헨젤과 그레텔이 숲속을 각각 걸어가며 길을 잃지 않기 위해 일정한 시간 간격으로 바닥에 조약돌을 놓고 지나갔습니다. 조약돌의 위치를 보고 두 사람의 운동은 빠르기가 어떻게 변하는 운동인지 각각 쓰고, 그 까닭을 쓰시오.

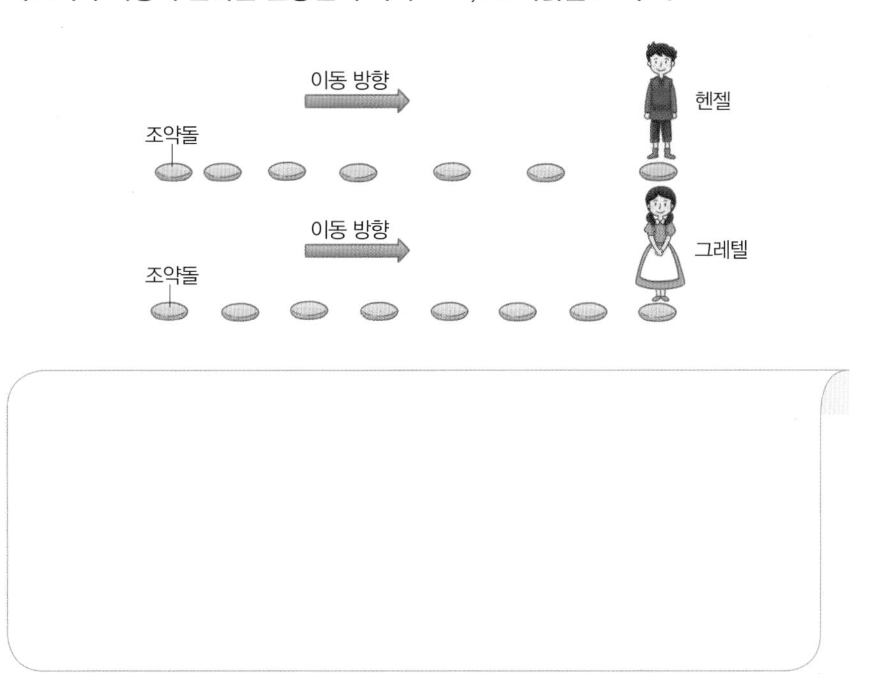

비법 3
같은 시간 동안 이동한 거리가 길어지면 빠르기가 빨라진 것이다.

4 고속 도로에 있는 고정식 과속 단속 카메라는 달리는 자동차가 제한 속력을 넘어 과속을 하는지 측정하는 도구입니다. 카메라 앞쪽 도로에 센서 1과 센서 2가 있어서 자동차의 움직임을 두 번 감지합니다. 고정식 과속 단속 카메라가 자동차의 빠르기를 측정하는 방법을 쓰시오.

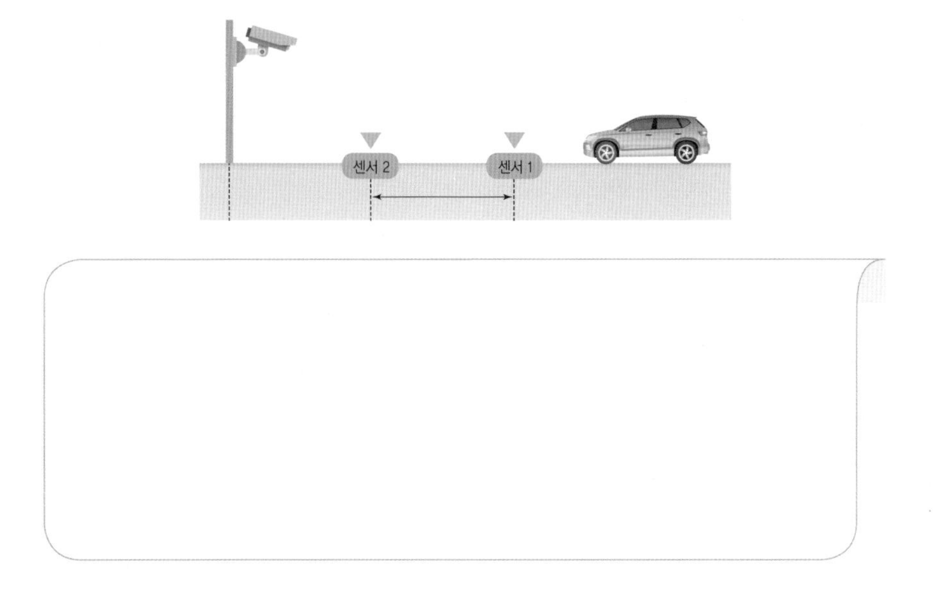

비법 4
센서 1에서 센서 2까지의 거리를 알고 있으며, 각 센서를 통과하는 시간을 측정한다.

창의 서술형 문제

영재고·영재원 선발 대비

5 **다음 시계는 시계추가 움직인 횟수로 시간을 측정합니다. 이 시계를 북극으로 가져갔을 때와 적도로 가져갔을 때 중 시계의 시간이 더 빨라지는 곳을 쓰고, 그 까닭을 쓰시오.** (단, 시계추의 움직임은 중력의 크기가 작을수록 느려지고, 실의 길이는 일정함.)

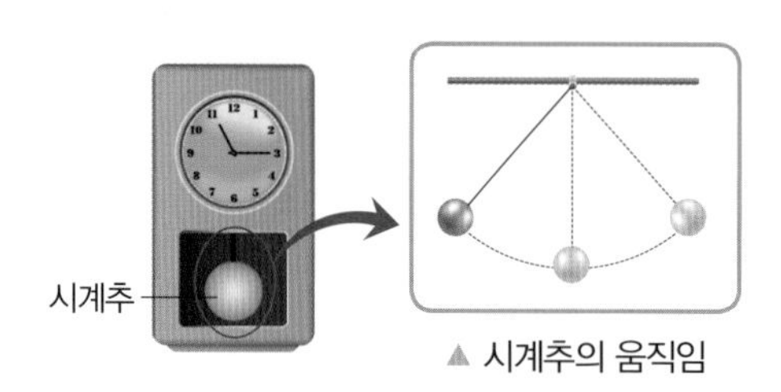

▲ 시계추의 움직임

비법 5
중력의 크기는 북극에서 가장 크고, 적도에서 가장 작다.

6 **다음은 희수가 세 가지 방법으로 이동한 것을 그래프로 나타낸 것입니다. 자전거, 퀵보드, 달리기 중 빠르기가 가장 빠른 것부터 순서대로 나열하여 쓰고, 그 까닭을 쓰시오.**

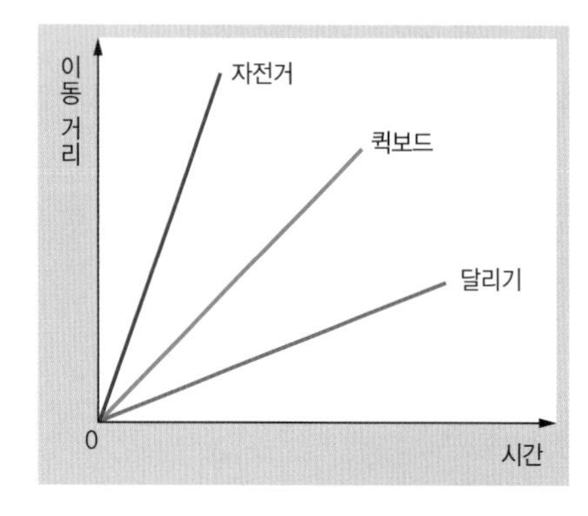

비법 6
같은 시간 동안 가장 먼 거리를 이동한 것이 가장 빠른 것이다.

정답과 해설 **74**쪽

7 오른쪽과 같이 해수면에서 바다 밑으로 초음파를 쏜 뒤 초음파가 바닥에 반사되어 되돌아오는 시간을 측정해 바다 밑 지형을 탐사합니다. 다음은 바다 밑으로 초음파를 쏘았을 때 반사되는 시간을 측정한 그래프입니다. 그래프를 보고 A~E 중 바다 밑에서 가장 높이 솟은 지형을 찾아 기호를 쓰고, 그 까닭을 쓰시오.

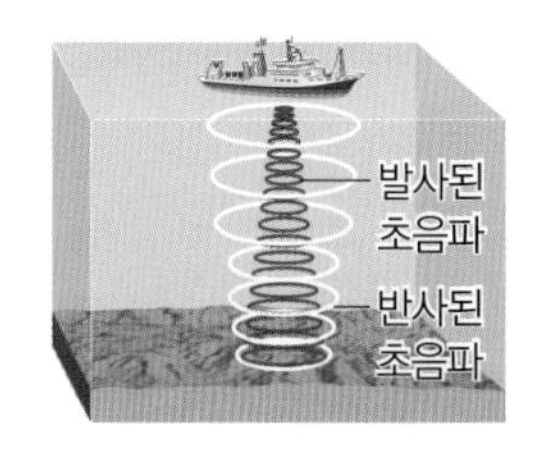

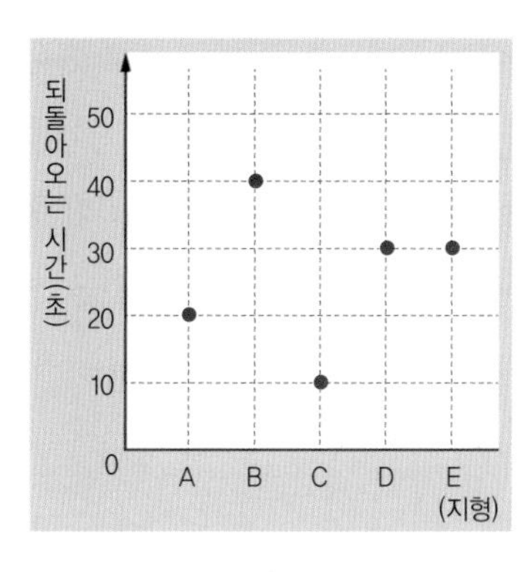

비법 7
가까운 거리일수록 이동하는 데 걸린 시간은 짧다.

8 오른쪽은 회전목마가 설치되어 있는 원판의 모습입니다. ㉠~㉢ 중 가장 빠르게 움직이는 회전목마를 찾아 기호를 쓰고, 그렇게 생각한 까닭을 쓰시오.

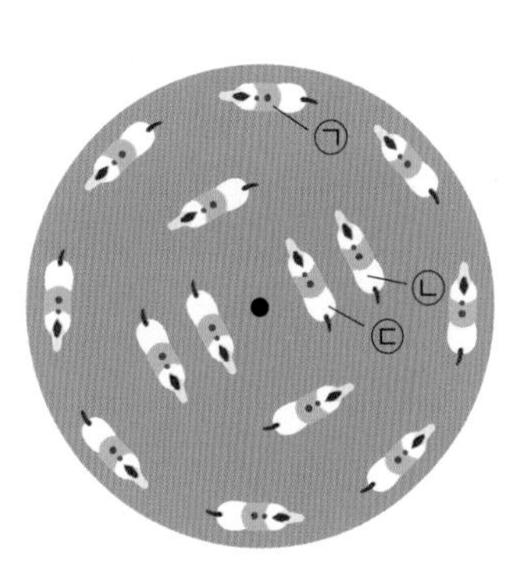

비법 8
모든 회전목마는 원판에 고정되어 있으며 같은 시간 동안 같은 각도만큼 회전한다.

운동하는 물체의 속력

탐구 보고서 작성하기

탐구 보고서는 실험을 통해 얻게 된 새로운 정보와 지식, 실험 결과를 정리한 글이다. 실험 목적, 실험 방법, 실험 결과를 통해 어떤 결론에 도달하였는지 구체적으로 작성한다. 탐구 보고서는 관심 있는 분야의 열정을 보여줄 수 있는 중요한 포트폴리오가 된다.

[1~2] 다음은 속력이 일정한 물체 A의 시간별 이동 거리를 측정한 결과입니다. 물음에 답하시오.

걸린 시간(s)	0	10	20	30	40	50	60	70
이동 거리(cm)	0	15	30	45	60	75	90	105

1. 물체 A의 속력은 몇 cm/s인지 구해 쓰시오.

2. 물체 A의 시간에 따른 이동 거리 그래프를 그리시오.

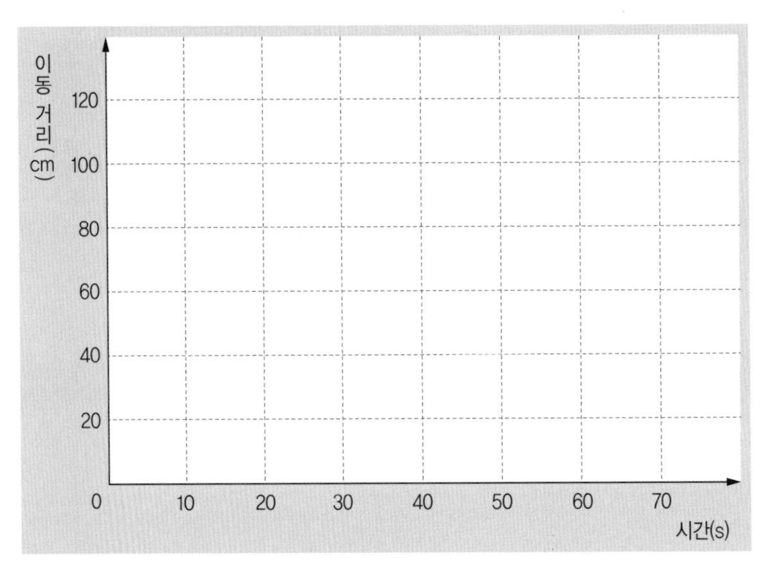

[3~4] 다음은 속력이 증가하는 물체 B의 시간별 이동 거리를 측정한 결과입니다. 물음에 답하시오.

걸린 시간(s)	0	10	20	30	40	50	60	70
이동 거리(cm)	0	5	20	45	80	125	180	245

3. 물체 B의 시간에 따른 이동 거리 그래프를 그리시오.

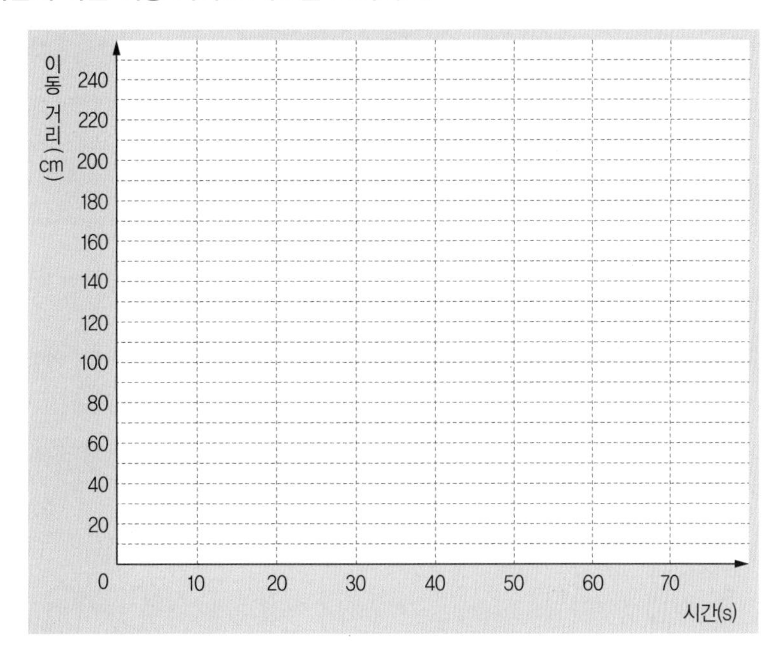

4. 위 **3**번 답인 물체 B의 그래프는 앞 **2**번 답인 물체 A의 그래프와 어떤 차이가 있는지 쓰시오.

과학 탐구 대회 실전 탐구 보고서

운동하는 물체의 속력

배경 지식

물체가 속력이 일정한 운동을 하는 경우에 시간에 따른 속력 그래프에서 시간 축과 속력의 그래프가 이루는 넓이는 이동 거리를 나타낸다.
물체가 속력이 증가하는 운동을 하는 경우에도 시간에 따른 속력 그래프에서 시간 축과 속력의 그래프가 이루는 삼각형의 넓이는 이동 거리를 나타낸다.

속력＝이동 거리÷걸린 시간
속력×걸린 시간＝이동 거리

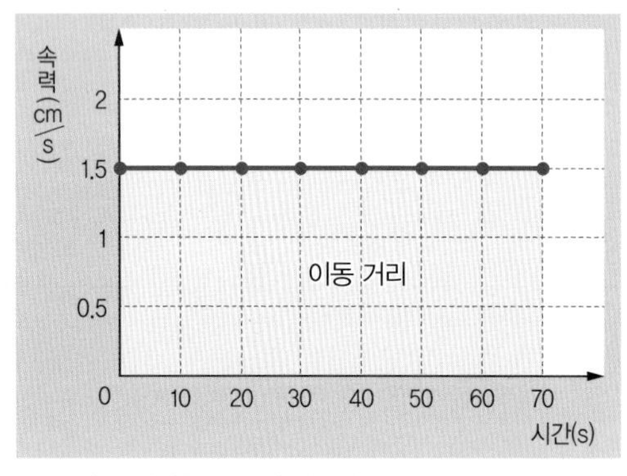

▲ 속력이 일정한 물체의 시간에 따른 속력 그래프

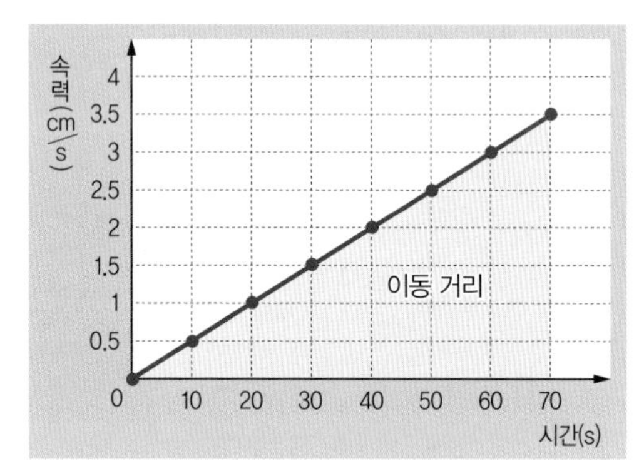

▲ 속력이 증가하는 물체의 시간에 따른 속력 그래프

탐구 주제 롤러코스터의 속력에 대한 연구

● **탐구 문제 (가설 설정)**

롤러코스터의 시간에 따른 속력을 정확하게 측정한다면 전체 이동 거리를 구할 수 있을 것이다.

다음 표는 롤러코스터의 시간별 속력을 나타낸 것입니다. 롤러코스터의 시간에 따른 속력 그래프를 그리고, 그래프를 해석하여 롤러코스터의 전체 이동 거리를 구하시오.

시간(s)	0	20	40	60	80	100	120	140	160	180	200	220	240
속력(m/s)	0	5	10	15	15	15	10	10	15	15	10	5	5

● **시간에 따른 속력 그래프**

롤러코스터의 시간에 따른 속력 그래프를 그리시오.

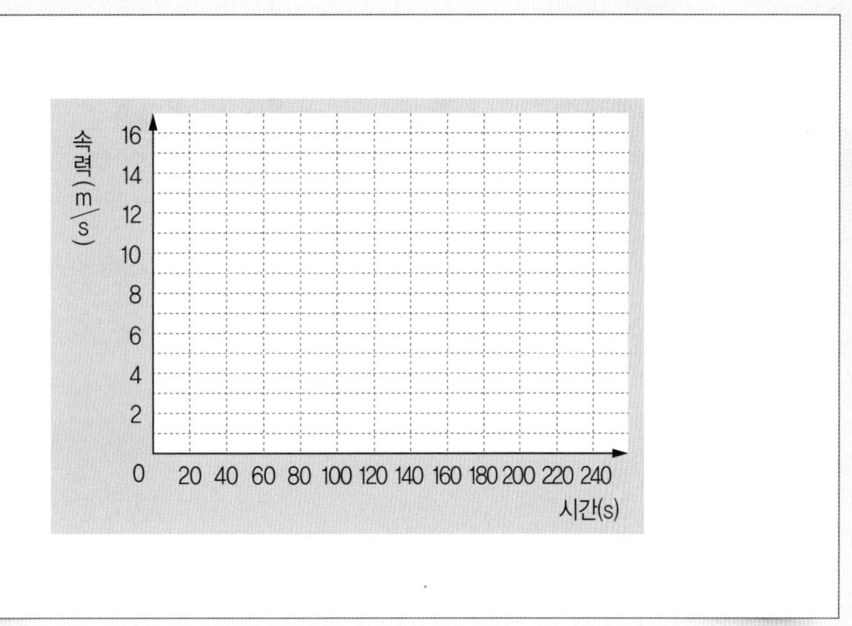

● **시간에 따른 그래프 해석**

롤러코스터의 시간에 따른 속력 그래프를 해석하여 전체 이동 거리를 구하시오.

2학기

5 산과 염기

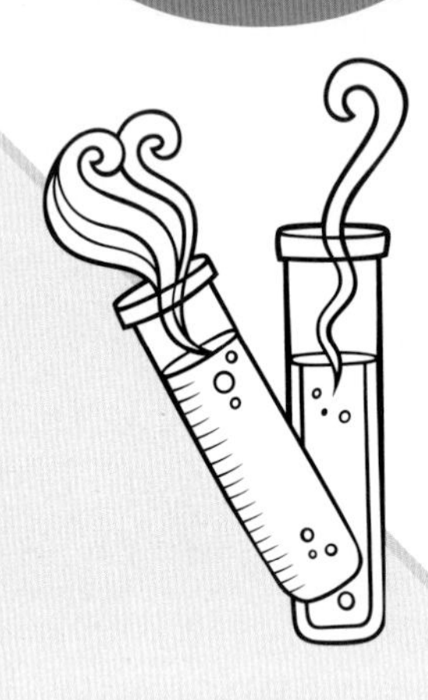

창의 서술형 문제

과학 탐구 대회

과학 토론 눈을 녹이는 방법

탐구 보고서
발명품
과학 토론
에세이 ESSAY

창의 서술형 문제

영재고·영재원 선발 대비

1 형기는 다큐멘터리 속 탐험가가 해안가에서 해파리를 관찰하다가 손을 쏘이자 오줌으로 상처 부위를 치료하는 것을 보았습니다. 다큐멘터리에 나온 해파리에 대해 찾아보니 산성의 독을 가지고 있는 해파리였습니다. 탐험가가 오줌으로 해파리 독을 치료하려고 시도한 까닭을 쓰고, 이것이 올바른 행동인지 쓰시오.

비법 1
사람의 몸에서 방금 배출된 오줌에는 세균이 없고 염기성인 암모니아 성분이 포함되어 있다.

2 희수는 친구들과 스무 고개 놀이를 했습니다. 다음 스무 고개의 답을 보기에서 골라 쓰고, 몇 번째 질문에서 답을 찾을 수 있는지와 그 까닭을 함께 쓰시오.

(첫 번째 질문) 이 용액은 투명한가?　그렇다.
(두 번째 질문) 이 용액은 냄새가 있는가?　그렇다.
(세 번째 질문) 이 용액은 색깔이 있는가?　그렇다.
(네 번째 질문) 이 용액은 먹을 수 있는가?　그렇다.
(다섯 번째 질문) 이 용액은 푸른색 리트머스 종이를 붉은색으로 변하게 하는가?　그렇다.

이 용액은 무엇인가?

보기

식초, 레몬즙, 석회수, 빨랫비누 물

비법 2
첫 번째 질문부터 순서대로 만족하는 용액을 찾아본다.

정답과 해설 76쪽

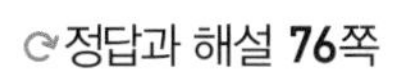

3 푸른색 리트머스 종이로 꽃 부분을 만들고 붉은색 리트머스 종이로 줄기 부분을 만든 장미의 색을 바꾸려고 합니다. 장미를 다시 만들지 않고, 꽃 부분을 붉은색으로 바꾸고 줄기 부분을 푸른색으로 바꾸는 방법을 쓰시오.

비법 3
리트머스 종이는 지시약이다. 지시약의 색깔 변화를 이용해 장미의 색을 바꿀 수 있다.

4 희진이는 '알칼리성 이온 음료'라는 광고 문구를 보고 즐겨 마시는 이온 음료로 다음과 같은 실험을 하여 결과를 정리했습니다. 이 결과로 이온 음료에 대해 알 수 있는 사실을 쓰시오.

- 붉은색 리트머스 종이를 이온 음료에 담갔더니 색 변화가 없었다.
- 페놀프탈레인 용액 몇 방울을 이온 음료에 떨어뜨렸더니 색 변화가 없었다.
- 자주색 양배추 지시약 몇 방울을 이온 음료에 떨어뜨렸더니 붉은색으로 변했다.

비법 4
알칼리는 물에 녹는 염기를 말하며, 염기성 물질에 속한다.

창의 서술형 문제

영재고·영재원 선발 대비

5 식초에 달걀을 담가 두면 달걀 겉껍데기가 제거되고 겉껍데기와 붙어 있는 얇고 흰 속껍질부터 안쪽은 남아 있습니다. 식초는 산성 용액인데, 달걀 전체를 녹이지 않고 겉껍데기만 녹이는 까닭을 쓰시오.

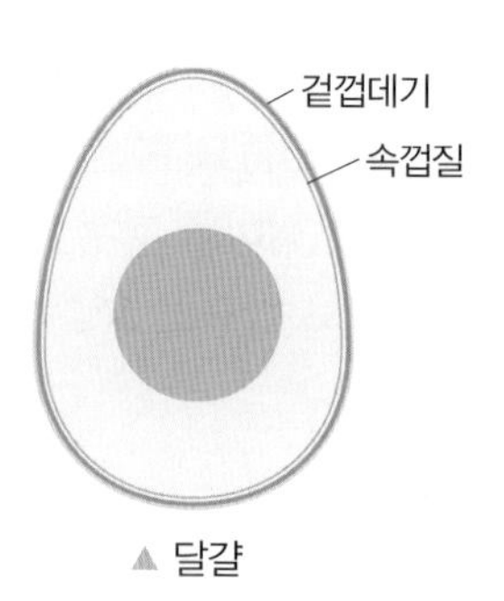

▲ 달걀

비법 5
산성 용액에 달걀 겉껍데기, 대리석, 석회석과 같은 물질을 넣으면 기포가 발생하면서 녹는다.

6 다음은 자주색 양배추 지시약의 색깔 변화 표입니다. 자주색 양배추 지시약을 적신 천 위에 그림을 그리려고 합니다. 보기 의 화학 물질을 이용하여 태양의 붉은색, 바다의 파란색, 숲의 노란색을 나타내려면, 각각 어떤 용액을 이용하여 그림을 그려야 할지 쓰고, 그 까닭을 쓰시오.

산성이 강함. 염기성이 강함.

보기
묽은 염산, 레몬즙, 유리 세정제, 묽은 수산화 나트륨 용액

비법 6
자주색 양배추 지시약은 자주색이지만 산성을 첨가하면 붉은색 계열로, 염기성을 첨가하면 푸른색이나 노란색 계열로 변한다.

정답과 해설 76쪽

7 석회 동굴에는 종유석이라는 탄산 칼슘으로 만들어진 고드름이 생깁니다. 종유석은 빗물의 산성 성분이 석회암과 만나 만들어집니다. 오래된 건물 콘크리트 지붕 밑에는 콘크리트 고드름이 생기는 경우가 있는데, 이것은 석회 동굴에 있는 종유석처럼 생겼고 탄산 칼슘과 같은 성분입니다. 콘크리트 고드름이 만들어진 까닭을 종유석의 생성 과정을 참고하여 쓰시오.

▲ 종유석

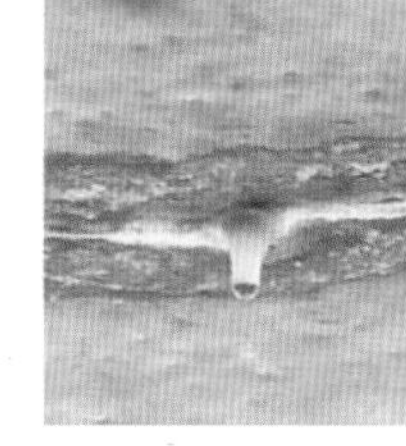

▲ 콘크리트 고드름

비법 7
- 콘크리트를 만드는 원료인 시멘트는 석회석으로 만들며 석회석의 주성분은 탄산 칼슘이다.
- 대기 중에 있는 산성 오염 물질이 빗물에 녹으면 산성비가 내린다.

8 민지는 산성비를 맞으면 머리카락이 빠질 수 있으니 조심하라는 이야기를 듣고 샴푸의 성질이 궁금해졌습니다. 비누가 염기성이므로 샴푸도 염기성일 것이라고 생각했지만 자료를 찾아보니 샴푸는 대부분 약한 산성이었습니다. 산성 샴푸를 써도 머리카락이 빠지지 않는 까닭을 쓰고, 산성비를 맞으면 머리카락이 빠진다는 것이 사실인지 쓰시오.

비법 8
비누는 염기성이어서 손을 비누로 씻으면 오염 물질인 단백질이 제거되면서 미끌거린다. 샴푸도 염기성인 경우 비누와 비슷하게 오염 물질을 제거하는 작용을 하지만 머리카락이 푸석해지고 두피 각질이 많아지는 부작용이 있다.

눈을 녹이는 방법

과학 토론 대회란

실생활 및 미래에 발생되는 문제 상황을 과학적으로 분석하고 이를 해결할 수 있는 다양한 측면의 문제 해결 방안을 창의적으로 생각하여, 3~4장의 개요서(요약서)를 작성하여 자신의 의견을 토론하는 대회이다.
개요서(요약서)를 바탕으로 상대와의 과학적 소통을 통해 보다 논리적이고 발전적인 대안을 도출하는 토의·토론 종목이다. 문제 상황과 토론 논제는 대회 당일 현장에서 발표하고 정보 수집 및 활용에 필요한 논제 관련 참고 자료를 주최 측에서 별도로 제공한다. 주어진 자료를 바탕으로 주장, 문제 원인 및 과학적 분석, 해결 방안을 개요서(요약서)에 모두 작성하여 토론을 준비하여야 한다.

다음 참고 자료를 읽고 문제를 풀어 보며 과학 토론 개요서(요약서) 작성을 위해 생각을 정리해 보자.

참고 자료

염화 칼슘은 효과적인 제설제인 반면 부작용도 많은 물질이다. 염화 칼슘은 눈을 잘 녹이지만 그만큼 자동차와 도로도 잘 녹이는 특징이 있다. 눈이 많이 오면 사고를 막기 위해 염화 칼슘을 뿌리지만 차량에 염화 칼슘이 묻어 차에 영향을 미친다. 즉, 염화 칼슘에 포함된 염소가 철로 된 차체에 달라붙어 부식이 생긴다. 자동차가 달리면 타이어가 회전하면서 도로에 뿌린 염화 칼슘이 튕겨져 올라와 차 아래에 구석구석 묻어 차 아래부터 녹이 발생하게 된다. 차 아래에 염화 칼슘이 묻은 것을 모르고 있다가 녹이 점점 번져 차 아래에서 발생한 녹이 눈에 보일 때쯤이면 이미 차의 매우 넓은 곳에 녹이 생긴 후가 된다.
염화 칼슘은 눈 또는 흙과 뭉쳐져 차에 달라붙기도 하고 차에 붙은 채로 수분을 흡수해 철판을 축축하게 만들기도 한다. 차에 해로운 영향을 미치는 염화 칼슘의 피해를 줄이려면 차를 자주 닦고, 녹이 잘 생기지 않도록 차 표면에 코팅을 해야 한다. 또 염화 칼슘은 물에 녹기 때문에 염화 칼슘이 뿌려진 도로를 지나간 다음에는 바로 세차장에서 차 아래를 강한 물줄기로 씻어 차에 묻은 염화 칼슘을 닦아내야 한다.

▲ 염화 칼슘을 뿌린 도로

▲ 제설 작업

정답과 해설 78쪽

염화 칼슘은 도로 자체를 녹여 피해를 주기도 한다. 그래서 겨울이 지나고 나면, 도로에 새로운 구멍이 많이 생긴 것을 볼 수 있다. 도로 위에 뿌려진 염화 칼슘이 화학 반응을 일으켜 아스팔트의 결합력을 떨어뜨려서 쉽게 부서지게 만든 것이다. 도로에 구멍이 생기면 자동차가 지나가다가 구멍에 바퀴가 빠지면서 갑작스러운 충격을 받게 되고, 심하면 위험한 교통사고로 이어질 수 있다.
염화 칼슘은 나무에도 나쁜 영향을 미친다. 염화 칼슘에 포함된 염소가 나무에 많이 쌓이면 뿌리, 줄기, 잎 조직의 생장을 억제하고 나무를 말려 죽일 수 있다. 또 염화 칼슘이 토양에 쌓이면 토양이 염기성으로 변해 필수 양분을 흡수하는 능력이 떨어져 토양이 메마르게 된다.

1. 염화 칼슘이 도로에 미치는 영향을 두 가지 쓰시오.

2. [토론 논제]가 다음과 같을 때 토론 개요서(요약서)에서 핵심적으로 서술해야 하는 항목을 두 가지 쓰시오.

토론 논제

도로에 쌓인 눈을 녹이지 않으면 사고가 발생할 수 있고, 사고는 많은 인명 피해로 이어진다. 제설제로 사용하는 염화 칼슘에 어떤 단점이 있는지 서술하고, 환경에 피해를 주지 않고 눈을 제거하는 방법에는 무엇이 있을지 창의적인 대안을 제시하시오.

과학 탐구 대회 실전 과학 토론

눈을 녹이는 방법

앞의 참고 자료를 보고, 토론 개요서(요약서)를 작성하시오.

논제

도로에 쌓인 눈을 녹이지 않으면 사고가 발생할 수 있고, 사고는 많은 인명 피해로 이어진다. 제설제로 사용하는 염화 칼슘에 어떤 단점이 있는지 서술하고, 환경에 피해를 주지 않고 눈을 제거하는 방법에는 무엇이 있을지 창의적인 대안을 제시하시오.

주장

나의 주장을 쓰세요.

문제 원인

문제 원인에 대한 나의 생각을 쓰세요.

정답과 해설 78쪽

해결 방안

해결 방안에 대한 나의 생각을 쓰세요.

Where there is a will,
there is a way.

Where there is a will,
there is a way.

Where there is a will,
there is a way.